JORGE LUIS BORGES

Historia universal de la infamia
Histoire universelle de l'infamie

suivie de

Hombre de la esquina rosada
L'homme au coin du mur rose

Enregistrement sur cassette

Choix, traduction et notes par
Eduardo Jimenez
Professeur d'espagnol
à l'École Supérieure de Commerce de Paris
et à l'École Supérieure d'Électricité
Traducteur

D0674642

Les langues pour tous

Collection dirigée par Jean-Pierre Berman,
Michel Marcheteau et Michel Savio

Série Initiation en 40 leçons

Série Perfectionnement

Série Score (100 tests d'autoévaluation)

Série économique et commerciale

Série Dictionnaires (Garnier)

Série « Ouvrages de référence »

Série Bilingue :

Sommaire

Principales abréviations utilisées dans les notes

adj.	adjectif		*inf.*	infinitif
amér.	américanisme		*m. à m.*	mot à mot
argent.	argentinisme		*part.*	participe
cf.	voir		*prés.*	présent
compl.	complément		*subj.*	subjonctif
imp.	imparfait		*v.*	verbe
ind.	indicatif			

© Jorge Luis Borges, 1935.
© Éditions du Rocher, 1951.
© Presses Pocket, 1988 pour la traduction, la présentation et les notes.

ISBN : 2 - 266 - 02168 - 0

Comment utiliser la série « Bilingue » ?

Les ouvrages de la série « Bilingue » permettent aux lecteurs :
• d'avoir accès aux versions originales de textes célèbres, et d'en apprécier, dans les détails, la forme et le fond, en l'occurrence, ici, des nouvelles de Jorge Luis Borges ;
• d'améliorer leur connaissance de l'espagnol, en particulier dans le domaine du vocabulaire dont l'acquisition est facilitée par l'intérêt même du récit, et le fait que mots et expressions apparaissent en situation dans un contexte, ce qui aide à bien cerner leur sens.

Cette série constitue donc une véritable méthode d'auto-enseignement, dont le contenu est le suivant :
• page de gauche, le texte en espagnol ;
• page de droite, la traduction française ;
• bas des pages de gauche et de droite, une série de notes explicatives (vocabulaire, grammaire, rappels historiques, etc.).

Les notes de bas de page et la liste récapitulative à la fin de l'ouvrage aident le lecteur à distinguer les mots et expressions idiomatiques d'un usage courant et qu'il lui faut mémoriser, de ce qui peut être trop exclusivement lié aux événements et à l'art de l'auteur. A la fin de chaque nouvelle une page de révision offre au lecteur une série de phrases types, inspirées du texte, et accompagnées de leur traduction. Il faut s'efforcer de les mémoriser.

Il est conseillé au lecteur de lire d'abord l'espagnol, de se reporter aux notes et de ne passer qu'ensuite à la traduction ; sauf, bien entendu, s'il éprouve de trop grandes difficultés à suivre le texte dans ses détails, auquel cas il lui faut se concentrer davantage sur la traduction, pour revenir finalement au texte espagnol, en s'assurant bien qu'il en a maintenant maîtrisé le sens.

●●Un enregistrement sur cassette (une cassette de 60 mn) d'extraits de longueur et de difficultés croissantes complète cet ouvrage. Chaque extrait est suivi de questions et de réponses qui permettent de contrôler et de développer la compréhension auditive.

Biographie

1899   Naissance de Jorge Luis Borges, au 840 de la rue Tucumán, à Buenos Aires.

1899-1914   Enfance de « Georgie », marquée par le bilinguisme (anglais-espagnol) et la fascination qu'exerce sur lui la bibliothèque de son père et ses innombrables livres anglais. Il affirmera plus tard avoir l'impression de n'être jamais sorti de cette bibliothèque.

1914-1919   Voyage en Europe avec sa famille. Borges a hérité de son père une vocation littéraire et une vue très faible. Il poursuit ses études secondaires en Suisse, jusqu'au baccalauréat, et profite de ce séjour pour découvrir les littératures allemande et française.

1920-1921   Voyage en Espagne où il adhère au mouvement ultraïste ; l'ultraïsme proclame la nécessité de libérer l'art de son état de décrépitude et affirme que la poésie doit se concentrer sur son élément fondamental : la métaphore.

1921-1925   Retour en Argentine. Borges participe aussitôt à la vie littéraire de Buenos Aires, et notamment à la fondation de deux revues : *Prisma* en 1921 et *Proa* en 1922 et 1924.

1925-1955   Époque marquée par une intense production littéraire : poèmes, essais, nouvelles, traductions, préfaces, etc. A partir de 1947, l'écrivain est néanmoins en butte à l'hostilité des péronistes qui le privent de son gagne-pain, un modeste poste de bibliothécaire, pour le nommer inspecteur des ventes de volailles.

1930   Rencontre avec Adolfo Bioy Casares. Une profonde amitié les liera bientôt et ils publieront de nombreux ouvrages en collaboration, sous divers pseudonymes.

1955   Un coup d'État chasse Perón. Borges est nommé directeur de la Bibliothèque nationale puis professeur à la faculté des lettres de Buenos Aires.

1961	Un groupe d'éditeurs internationaux partage le prix Formentor entre Samuel Beckett et Borges. Cette récompense marque le début d'une reconnaissance universelle déjà amorcée par les premières traductions en français de Roger Caillois.
1961-1986	Borges est devenu presque complètement aveugle. Il donne des cours et des conférences à travers le monde entier ; les gouvernements lui décernent les décorations les plus prestigieuses et les jurys spécialisés couronnent son œuvre.
1986	Mort de Jorge Luis Borges à Genève.

Quelques suggestions bibliographiques

Inquisiciones (1925), *Evaristo Carriego, Historia del tango* (1930), *Historia de la eternidad* (1936), *El jardín de los senderos que bifurcan* (1941), *Ficciones* (1944), *El Aleph* (1949), *La muerte y la brújula* (1951), *El hacedor* (1960).

En collaboration avec Adolfo Bioy Casares :

Seis problemas para don Isidro Parodi (1943), *Dos fantasías memorables* (1945), *Crónicas de Bustos Domecq* (1967), *Nuevos cuentos de Bustos Domecq* (1977).

Préface

En août 1933, une nouvelle revue est publiée à Buenos Aires : la *Revista multicolor de los sábados* (Revue multicolore du samedi), offerte aux acheteurs de *Crítica*, un quotidien fort prisé du grand public mais se voulant à la fois journal à sensation et publication littéraire.

Jorge Luis Borges est engagé pour s'occuper de ces pages littéraires par Natalio Botana, le rédacteur en chef de *Crítica*.

Outre la traduction de ses auteurs étrangers favoris, et la présentation des écrits de ses amis, Borges publiera vingt-neuf textes originaux, dont les sept nouvelles de l'*Histoire universelle de l'infamie* et *L'homme au coin du mur rose*.

L'*Histoire universelle de l'infamie* est écrite à l'intention d'un public populaire, mais Borges s'amuse à marquer sa distance par rapport au genre qu'il est supposé servir.

Son goût de la supercherie se manifeste dès le titre, mélodramatique à souhait, se poursuit avec la dédicace, en anglais, les deux prologues aux éditions de 1935 et 1954, et se trouve parachevé par l'index des sources bibliographiques qui mêle ouvrages authentiques — par exemple un article de Thomas Secombe dans l'*Encyclopædia Britannica* — et documents totalement inventés — *Die Vernichtung der Rose* (l'Anéantissement de la Rose), Leipzig, 1927, d'un certain Alexander Schulz.

Borges se divertit ainsi, sophistication suprême, en rebutant la clientèle naturelle de la *Revista* par ces indications plus ou moins scientifiques. Il se retranche derrière un jeu de masques, le thème de l'apparence et de la mystification présent dans toutes ces pages renvoyant aux relations qu'il entretient avec son texte et donc avec ses lecteurs.

Ce caractère parodique aisément décelable aura l'effet escompté : L'*Histoire universelle de l'infamie* ne sera pas un succès de librairie. Borges en parlera d'ailleurs sévèrement à maintes reprises, la réduisant à de « simples exercices de prose narrative », lui accordant un seul mérite, avec le plaisir d'écrire, celui de l'avoir exercé à la composition.

Mais ce jugement définitif n'est-il pas à son tour une feinte ?

Les admirateurs, nombreux, de Borges n'y verront sans nul doute qu'une manifestation de la modestie proverbiale de l'auteur.

Ces pages représentent en fait une excellente introduction à l'univers borgésien par la maîtrise de l'écriture, la force poétique de certaines évocations, ce jeu de miroirs et de labyrinthes où le lecteur se perd et se retrouve, parfois méfiant, toujours séduit dès que s'instaure un climat de connivence, d'« intelligence » avec l'écrivain.

Telle est du moins notre ambition en proposant ces nouvelles : présenter un auteur réputé difficile, le faire aimer et susciter l'envie de se plonger, par la suite, dans l'une des œuvres les plus riches de la littérature contemporaine.

S.D.

Historia universal de la infamia

Histoire universelle de l'infamie

I inscribe this book to I. J. : English, unnumerable and an Angel. Also : I offer her that kernel of myself that I have saved, somehow — the central heart that deals not in words, traffics not with dreams and is untouched by time, by joy, by adversities.

Je dédie ce livre à I. J. : anglaise, innombrable et angélique. Également : je lui offre ce noyau de moi-même que j'ai sauvé, d'une certaine façon — le cœur central étranger aux mots, ne faisant pas commerce des rêves, et préservé du temps, de la joie et de l'adversité.

Prólogo a la primera edición

Los ejercicios de prosa narrativa que integran este libro fueron ejecutados de 1933 a 1934. Derivan, creo, de mis relecturas de Stevenson[1] y de Chesterton[2] y aun de los primeros films de von Sternberg[3] y tal vez de cierta biografía de Evaristo Carriego[4]. Abusan de algunos procedimientos : las enumeraciones dispares, la brusca solución de continuidad, la reducción de la vida entera de un hombre a dos o tres escenas. (Ese propósito visual rige también el cuento « Hombre de la Esquina Rosada ».) No son, no tratan de ser, psicológicos.

En cuanto a los ejemplos de magia que cierran el volumen[5], no tengo otro derecho sobre ellos que los de traductor y lector. A veces creo que los buenos lectores son cisnes[6] aún más tenebrosos y singulares que los buenos autores. Nadie me negará que las piezas atribuidas por Valéry a su pluscuamperfecto Edmond Teste[7] valen notoriamente menos que las de su esposa y amigos.

Leer, por lo pronto[8], es una actividad posterior a la de escribir : más resignada, más civil, más intelectual.

J. L. B.

Buenos Aires, 27 de mayo de 1935.

---

1. **Stevenson :** écrivain britannique (1850-1894), auteur de romans d'aventures dont les deux plus célèbres sont L'Île au trésor (1883) et Docteur Jekyll et M. Hyde (1886).

2. **Chesterton :** écrivain anglais (1874-1936), tout à la fois essayiste, historien, romancier. Ses romans témoignent notamment d'une imagination débordante.

3. **Von Sternberg :** metteur en scène américain d'origine autrichienne, réalisateur en particulier de L'Ange bleu, Les Nuits de Chicago, Shangai-Express.

4. **Evaristo Carriego :** poète populaire de Buenos Aires, qui mourut à peu près inconnu en 1912, à l'âge de 29 ans, en ne laissant qu'un seul recueil de poèmes. Borges s'intéressa néanmoins à lui et publia sa biographie en 1930.

Prologue à la première édition

Les exercices de prose narrative qui composent ce livre furent réalisés de 1933 à 1934. Je crois me souvenir qu'ils procèdent de mes relectures de Stevenson et de Chesterton, également des premiers films de von Sternberg et peut-être de quelque biographie d'Evaristo Carriego. Ils abusent de certains procédés : les énumérations hétéroclites, la brutale solution de continuité, la vie entière d'un homme réduite à deux ou trois scènes. (Cette intention visuelle régit aussi la nouvelle « L'homme au coin du mur rose ».) Ils ne sont pas, ils n'essaient pas d'être, psychologiques.

Quant aux exemples de magie mettant un terme au volume, je n'ai sur eux que des droits de traducteur et de lecteur. Je pense parfois que les bons lecteurs sont des cygnes encore plus ténébreux et singuliers que les bons auteurs. Nul ne me contestera que les pièces attribuées par Valéry à son plus-que-parfait Edmond Teste valent à l'évidence moins que celles de sa femme et de ses amis.

Pour le moment, la lecture reste une activité postérieure à l'écriture : plus résignée, plus affable, plus intellectuelle.

J. L. Borges

Buenos Aires, 27 mai 1935.

---

5. cet ensemble de textes courts, intitulé *Etcétera,* fut rajouté à l'*Histoire universelle de l'infamie* et a été laissé de côté dans la présente édition.
6. **cisne :** *cygne.* Dans le langage poétique, aussi bien en espagnol qu'en français, un poète remarquable par l'élégance, la grâce, la pureté de son style ; ainsi appela-t-on Pindare le Cygne de Dircé et Virgile le Cygne de Mantoue.
7. **Edmond Teste :** personnage de Paul Valéry, ayant inspiré un ensemble d'ouvrages réunis en 1926 sous le titre de *Monsieur Teste.*
8. **por lo pronto** ou **por de pronto :** *pour le moment ;* également **mientras tanto, por ahora.**

Prólogo a la edición de 1954

Yo diría que barroco es aquel estilo que delibe-
radamente agota (o quiere agotar) sus posibilidades y
que linda con su propia caricatura. En vano quiso
remedar Andrew Lang[1], hacia mil ochocientos
ochenta y tantos, la Odisea de Pope[2]; la obra ya era
su parodia y el parodista no pudo exagerar su tensión.
Barroco (Baroco) es el nombre de uno de los modos
del silogismo; el siglo XVIII lo aplicó a determinados
abusos de la arquitectura y de la pintura del XVII;
yo diría que es barroca la etapa final de todo
arte, cuando éste exhibe y dilapida sus medios.
El barroquismo es intelectual y Bernard Shaw[3] ha
declarado que toda labor intelectual es humorística.
Este humorismo es involuntario en la obra de Baltasar
Gracián[4]; voluntario o consentido, en la de John
Donne[5].

Ya el excesivo título de estas páginas proclama su
naturaleza barroca. Atenuarlas hubiera equivalido a
destruirlas; por eso prefiero, esta vez, invocar la
sentencia *quod scripsi, scripsi* (Juan, 19, 22) y
reimprimirlas, al cabo de veinte años, tal cual. Son
el irresponsable juego de un tímido que no se animó
a escribir cuentos y que se distrajo[6] en falsear y
tergiversar[7] (sin justificación estética alguna vez)
ajenas historias.

---

1. **Andrew Lang :** ethnologue et écrivain anglais (1844-
1912), qui publia également des traductions de l'*Odyssée*
et de l'*Iliade*.
2. **Alexander Pope :** poète anglais (1688-1744) qui consacra
onze années de sa vie (de 1715 à 1726) à la traduction de
l'*Iliade* et de l'*Odyssée*.
3. **Bernard Shaw :** écrivain irlandais (1856-1950), s'étant
surtout fait connaître comme auteur dramatique.
4. **Baltasar Gracián :** jésuite et écrivain espagnol (1601-
1658) qui acquit également une grande renommée en qualité
de prédicateur. Moraliste rigoureux, auteur très marqué
par le gongorisme, il a notamment publié *El Criticón* (1651-
1657).

14

Prologue à l'édition de 1954

Je qualifierai de baroque le style qui épuise délibérément (ou veut épuiser) ses possibilités et frôle sa propre caricature. Vers mil neuf cent quatre-vingt et quelques, Andrew Lang tenta vainement de contrefaire l'*Odyssée* de Pope ; l'œuvre se parodiait déjà elle-même et le parodiste fut incapable d'en rajouter dans l'exagération. Baroque (Baroco) est le nom de l'une des versions du syllogisme ; le XVIIIᵉ siècle l'avait appliqué à certains abus de l'architecture et de la peinture du XVIIᵉ ; pour ma part, je dirais qu'est baroque la dernière étape de tout art, lorsque celui-ci exhibe et dilapide ses moyens. Le baroque est intellectuel et Bernard Shaw a déclaré que toute production intellectuelle est humoristique. Cet humour est involontaire dans l'œuvre de Baltasar Gracián ; volontaire, ou conscient, dans celle de John Donne.

Le titre excessif de ces pages en proclame déjà la nature baroque. Les adoucir, cela équivalait à les détruire ; voilà pourquoi je préfère, cette fois-ci, en appeler à la maxime : *quod scripsi, scripsi*[1] (Jean, 19, 22) et les imprimer de nouveau, vingt ans après, telles quelles. Elles représentent le jeu irresponsable d'un timide qui n'osa pas écrire des nouvelles et s'amusa à falsifier et à déformer (parfois sans aucune justification esthétique) des récits d'autrui.

---

5. **John Donne :** poète et philosophe anglais (1573-1631), il devint prêtre après une jeunesse dissolue et écrivit divers traités philosophiques et poèmes religieux.
6. **distrajo :** passé simple irrégulier de distraer.
7. **tergiversar :** faux ami, *déformer, fausser ;* et non pas *tergiverser :* **vacilar, titubear.**

De estos ambiguos ejercicios pasó a la (trabajosa) composición de un cuento directo — *Hombre de la Esquina Rosada* — que firmó con el nombre de un abuelo de sus abuelos, Francisco Bustos[1], y que ha logrado un éxito singular y un poco misterioso.

En su texto, que es de entonación orillera[2], se notará que he intercalado algunas palabras cultas : vísceras, conversiones, etc. Lo hice, porque el compadre[3] aspira a la finura, o (esta razón excluye la otra, pero es quizá la verdadera) porque los compadres son individuos y no hablan siempre como el Compadre, que es una figura platónica.

Los doctores del Gran Vehículo enseñan que lo esencial del universo es la vacuidad. Tienen plena razón en lo referente a esa mínima parte del universo que es este libro. (Patíbulos[4] y piratas lo pueblan y la palabra *infamia* (aturde) en el título, pero bajo los tumultos no hay nada. No es otra cosa que apariencia, que una superficie de imágenes ; por eso mismo puede acaso agradar. El hombre que lo ejecutó era asaz[5] desdichado, pero se entretuvo escribiéndolo ; ojalá[6] algún reflejo de aquel placer alcance a los lectores.

En la sección *Etcétera*[7] he incorporado tres piezas nuevas.

J. L. B.

---

1. **Francisco Bustos** : on retrouve ce même nom dans un ensemble de textes écrits avec Bioy Casares et publiés sous le pseudonyme de Bustos Domecq.
2. **orillera** : argent. à partir de **orillas**, *faubourgs ;* **arrabales** ou **suburbios** en espagnol d'Espagne.
3. **compadre** : argent., *voyou.*
4. **patíbulo** : *échafaud, gibet ;* équivalent de **cadalso**. Carne de patíbulo : *gibier de potence.*
5. **asaz** : adverbe appartenant au langage poétique ; *assez* (**bastante**), *très* (**muy**) ou *beaucoup* (**mucho**).
6. **¡ ojalá !** : de l'arabe **ua xa Alah**, *que Dieu le veuille !* toujours suivi du subjonctif ; ici **alcance**, présent du subjonctif de **alcanzar**, *atteindre.*
7. cf. note 5, p. 13.

A la suite de ces exercices ambigus, il passa à la composition laborieuse et directe d'une nouvelle — *L'homme au coin du mur rose* — qu'il signa du nom d'un aïeul de ses aïeux, Francisco Bustos, nouvelle qui obtint un succès singulier et un peu mystérieux.

On notera que j'ai intercalé dans son texte, dont la tonalité est faubourienne, quelques mots recherchés : viscères, conversions, etc. Je l'ai fait car le *compadre* aspire à la distinction, ou bien (cette raison exclut la précédente, mais elle est peut-être la vraie raison) parce que les *compadres* sont des individus et ne s'expriment pas toujours comme le *Compadre,* qui est un personnage platonicien.

Les docteurs du Grand Véhicule enseignent que l'essence de l'univers est le vide. Ils ont pleinement raison pour l'infime partie de l'univers qu'est ce livre. Il est peuplé de gibets et de pirates, et le mot infamie, dans son titre, nous transit, mais sous les tumultes il n'y a rien. Ce n'est qu'apparence, une surface d'images ; et peut-être plaira-t-il pour cela même. L'homme qui le réalisa était terriblement malheureux, mais il prit du plaisir à l'écrire ; espérons que quelque reflet de cette jouissance atteindra les lecteurs.

Dans le chapitre « Etcétera », j'ai incorporé trois morceaux inédits.

J. L. B.

Table des sources
établie par J. L. Borges

1. LAZARUS MORELL : Le Rédempteur effroyable. *Life on the Mississipi,* par Mark Twain. New York, 1883.

2. TOM CASTRO : L'Imposteur invraisemblable. *The Encyclopædia Britannica,* IIᵉ édition. Cambridge, 1932.

3. La Veuve CHING, pirate. *The History of Piracy,* par Philip Gosse. London, 1932.

4. MONK EASTMAN : Le Pourvoyeur d'iniquités. *The Gangs of New York,* par Herbert Asbury. New York, 1927.

5. BILL HARRIGAN : L'Assassin désintéressé.
A Century of Gunmen, par Frederick Watson. London, 1931.
The Saga of Billy the Kid, par Walter Noble Burns. New York, 1925.

6. L'incivil Maître de Cérémonies KOTSUKÉ NO SUKÉ. *Tales of Old Japan,* par A.-B. Mitford. London, 1912.

7. Le Teinturier masqué, HAKIM DE MERV.
A History of Persia, par Sir Percy Sykes. London, 1915.
Die Vernichtung der Rose. Nach dem arabischen Urtext übertragen von Alexander Schulz. Leipzig, 1927.

El espantoso redentor Lazarus Morell

Le rédempteur effroyable Lazarus Morell

En 1517 el P. Bartolomé de las Casas[1] tuvo mucha lástima[2] de los indios que se extenuaban en los laboriosos infiernos de las minas de oro antillanas, y propuso al emperador Carlos V la importación de negros que se extenuaran[3] en los laboriosos infiernos[4] de las minas de oro antillanas. A esa curiosa variación de un filántropo debemos infinitos hechos : los *blues* de Handy, el éxito logrado en París por el pintor doctor oriental[5] D. Pedro Figari, la buena prosa cimarrona[6] del también oriental D. Vicente Rossi, el tamaño mitológico de Abraham Lincoln, los quinientos mil muertos de la Guerra de Secesión, los tres mil trescientos millones gastados en pensiones militares, la estatua del imaginario Falucho, la admisión del verbo *linchar* en la décimotercera edición del Diccionario de la Academia, el impetuoso film *Aleluya*[7], la fornida carga a la bayoneta llevada por Soler al frente de sus *Pardos y Morenos* en el Cerrito, la gracia de la señorita de Tal, el moreno que asesinó Martín Fierro[8], la deplorable rumba *El Manisero,* el napoleonismo arrestado y encalabozado de Toussaint Louverture[9], la cruz y la serpiente en Haití, la sangre de las cabras degolladas por el machete del *papaloi,* la habanera madre del tango, el candombe[10].

Además : la culpable y magnífica existencia del atroz redentor Lazarus Morell.

---

1. **Bartolomé de Las Casas :** prélat espagnol (Séville 1476-Madrid 1566) qui s'illustra dans la défense des Indiens.
2. **tener lástima :** *avoir pitié ;* dar lástima : *faire pitié ;* es lástima que + subj. : *c'est dommage que ;* lastimar : *blesser,* au sens propre ou au sens figuré.
3. **extenuaban... extenuaran :** notez le passage de l'imp. de l'ind. à l'imp. du subj., le second marquant l'éventualité dans le passé.
4. **los laboriosos infiernos :** cette répétition témoigne bien sûr de l'ironie de Borges quant à l'action humanitaire de Bartolomé de Las Casas, attitude d'autant plus irrévérencieuse que ce dernier apparaît le plus souvent comme un fervent défenseur des droits de l'homme et des minorités opprimées.

En 1517 le père Bartolomé de las Casas eut grand-pitié des Indiens qui s'échinaient dans les enfers laborieux des mines d'or antillaises, et il proposa à l'empereur Charles Quint l'importation de nègres qui s'échineraient dans les laborieux enfers des mines d'or antillaises. Ce curieux revirement d'un philanthrope entraîna d'innombrables conséquences : les blues de Handy, le succès recueilli à Paris par le maître uruguayen D. Pedro Figari, l'excellente prose marronne de D. Vicente Rossi, uruguayen lui aussi, la dimension mythique d'Abraham Lincoln, les cinq cent mille morts de la guerre de Sécession, les trois milliards trois cents millions gaspillés en pensions militaires, la statue de l'imaginaire Falucho, l'acceptation du verbe *lyncher* dans la treizième édition du Dictionnaire de l'Académie espagnole, le film impétueux *Aleluya,* la formidable charge à la baïonnette conduite par Soler à la tête de ses *Pardos y Morenos* au Cerrito, la grâce de Mlle de, le Noir assassiné par Martín Fierro, la lamentable rumba *El Manisero,* le napoléonisme capturé et jeté au cachot de Toussaint Louverture, la croix et le serpent à Haïti, le sang des chèvres égorgées par la machette du *papaloï,* la *habanera,* mère du tango, le *candombe.*

Et aussi : la coupable et magnifique existence de l'atroce rédempteur Lazarus Morell.

---

5. **oriental :** *appartenant* ou *relatif à la République Orientale d'Uruguay, natif de cet État,* encore que le terme **uruguayo,** *uruguayen,* soit beaucoup plus employé aujourd'hui.
6. **cimarrón :** amér. marquant le passage de l'état domestique à l'état sauvage (par exemple, l'esclave qui s'enfuit).
7. ou *Hallelujah :* œuvre célèbre de King Vidor (1929), premier film parlant entièrement interprété par des Noirs.
8. *Martín Fierro :* le grand classique de la littérature de la Pampa et des gauchos, écrit par José Hernández en 1872.
9. **Toussaint Louverture :** homme politique haïtien (1743-1803), qui tenta en vain de créer une république noire dans son île.
10. **habanera, tango, candombe :** danses d'Amérique latine.

El Padre de las Aguas, el Mississippi, el río más [1] extenso [2] del mundo, fue el digno teatro de ese incomparable canalla. (Álvarez de Pineda lo descubrió y su primer explorador fue el capitán Hernando de Soto [3], antiguo conquistador del Perú, que distrajo los meses de prisión del Inca Atahualpa [4] enseñándole el juego del ajedrez. Murió y le dieron por sepultura sus aguas.)

El Mississippi es río de pecho ancho ; es un infinito y oscuro hermano del Paraná, del Uruguay, del Amazonas y del Orinoco. Es un río de aguas mulatas [5] ; más de cuatrocientos millones de toneladas de fango insultan [6] anualmente el Golfo de Méjico, descargadas por él. Tanta basura venerable y antigua ha construido un delta, donde los gigantescos cipreses de los pántanos crecen de los despojos de un continente en perpetua disolución y donde los laberintos de barro, de pescados [7] muertos y de juncos, dilatan las fronteras y la paz de su fétido imperio. Más arriba, a la altura del Arkansas y del Ohio, se alargan tierras bajas también. Las habita una estirpe [8] amarillenta de hombres escuálidos, propensos [9] a la fiebre, que miran con avidez las piedras y el hierro, porque entre ellos no hay otra cosa que arena y leña y agua turbia.

---

1. **el río más extenso :** contrairement au français *(le fleuve le plus...),* l'article n'est jamais répété, en espagnol, devant le superlatif relatif.

2. **extenso :** m. à m. *long* ou *étendu,* mais traduit ici par *majestueux* car le Mississippi n'est ni l'un ni l'autre.

3. **Hernando de Soto :** navigateur espagnol (1500-1542), qui fut d'abord compagnon de Pizarro, au Pérou, puis explora le cours du Mississippi où il devait trouver la mort.

4. **Atahualpa :** souverain inca (1500-1533) qui tenta vainement de s'allier avec Pizarro ; ce dernier l'emprisonna, l'obligea à payer une rançon fabuleuse, puis le condamna à mort et le fit étrangler.

5. **mulatas :** l'espagnol emploie **mulato** ou **trigueño** pour un croisement de races blanche et noire, **mestizo** pour les autres mélanges.

Le Père des Eaux, le Mississippi, le fleuve le plus majestueux du monde, fut le digne théâtre de cette incomparable canaille. (Álvarez de Pineda l'avait découvert et son premier explorateur fut le capitaine Hernando de Soto, ancien conquistador du Pérou, qui avait égayé les mois de prison de l'Inca Atahualpa en lui enseignant le jeu des échecs. A sa mort, on lui donna pour sépulture les eaux du fleuve.)

Le Mississippi est un fleuve large de poitrine ; un frère infini et obscur du Parana, de l'Uruguay, de l'Amazone et de l'Orénoque. Un fleuve aux eaux métisses ; il évacue chaque année plus de quatre cents millions de tonnes de boue qui outragent le golfe du Mexique. Tant de détritus vénérables et antiques ont constitué un delta, où les gigantesques cyprès des marais se nourrissent des dépouilles d'un continent en perpétuelle dissolution et où les labyrinthes de fange, de poissons morts et de joncs, repoussent les frontières et la paix de son empire fétide. Plus haut, au niveau de l'Arkansas et de l'Ohio, s'étendent également des terres basses. Elles sont peuplées d'une race jaunâtre d'hommes émaciés, sujets aux fièvres, qui regardent avidement les pierres et le fer, car autour d'eux tout est sable, bois et eau boueuse.

---

6. **insultan :** m. à m. *insultent ;* le verbe **insultar** ne s'emploie, en espagnol, que pour les personnes, et l'auteur poursuit ainsi la métaphore du Père des Eaux.

7. **pescados :** c'est le terme **pez** (plur. **peces**) qui désigne en général le poisson dans l'eau, **pescado** étant réservé au poisson pêché.

8. **estirpe :** m. à m. *souche familiale, lignée.*

9. **propenso :** du verbe **propender** (*tendre vers, pencher pour*) qui possède deux participes passés ; le participe régulier, **propendido**, et l'irrégulier, **propenso**, seulement utilisé comme adjectif.

A principios del[1] siglo XIX (la fecha que nos interesa) las vastas plantaciones de algodón que había en las orillas eran trabajadas por negros, de sol a sol[2]. Dormían en cabañas de madera, sobre el piso de tierra. Fuera de la relación madre-hijo, los parentescos eran convencionales[3] y turbios. Nombres tenían, pero podían prescindir de apellidos[4]. No sabían leer. Su enternecida voz de falsete canturreaba un inglés de lentas vocales. Trabajaban en filas, encorvados bajo el rebenque[5] del capataz. Huían, y hombres de barba entera saltaban sobre hermosos caballos y los rastreaban[6] fuertes perros de presa.

A un sedimento de esperanzas bestiales y miedos africanos habían agregado las palabras de la Escritura : su fe por consiguiente era la de Cristo. Cantaban hondos y en montón : *Go down Moses.* El Mississippi les servía de magnífica imagen del sórdido Jordán.

Los propietarios de esa tierra trabajadora y de esas negradas[7] eran ociosos y ávidos caballeros de melena rumbosa, que habitaban en largos caserones[8] que miraban al río — siempre con un pórtico pseudo griego de pino blanco. Un buen esclavo les costaba mil dólares y no duraba mucho. Algunos cometían la ingratitud de enfermarse[9] y morir. Había que sacar de esos inseguros el mayor rendimiento.

---

1. **a principios de :** constructions similaires, a mediados de *(vers le milieu de, à la mi-)* a fines de ou a finales de *(à la fin de).*
2. **de sol a sol :** c'est-à-dire *du lever du soleil à son coucher.*
3. **convencionales :** ici, résultant d'une simple convention, et non pas conforme aux conventions sociales.
4. **nombres... apellidos :** attention au faux ami **nombre,** quand il s'agit de l'état civil ; **el nombre** est le *prénom* et **el apellido** le *nom de famille.*
5. **rebenque :** argent., *fouet* court et gros servant de cravache au gaucho. Ce nom provient du breton *rabank,* qui désignait le fouet utilisé par les surveillants sur les galères. En espagnol : **látigo.**

24

Au début du XIXe siècle (la date qui nous intéresse), les vastes plantations de coton sur les berges du fleuve étaient cultivées par des nègres, de l'aube au crépuscule. Ils dormaient dans des cabanes en bois, à même le sol en terre battue. Hormis la relation mère-fils, les liens de parenté étaient purement conventionnels et incertains. Ils possédaient des prénoms, mais pouvaient se passer des noms de famille. Ils ne savaient pas lire. Leur tendre voix de fausset chantonnait un anglais aux voyelles traînantes. Ils travaillaient en file indienne, courbés sous le fouet du contremaître. Lorsqu'ils s'enfuyaient, des hommes à longue barbe enfourchaient de superbes chevaux et de robustes mâtins les suivaient à la trace.

A des sédiments d'espérances animales et de peurs africaines, ils avaient ajouté les paroles de l'Écriture : leur foi était donc celle du Christ. Ils chantaient du plus profond d'eux-mêmes et en masse : *Go down Moses.* Le Mississippi leur renvoyait une image magnifique du sordide Jourdain.

Les propriétaires de cette terre de labeur et de ces peuplades nègres étaient d'oisifs et avides aristocrates à la chevelure luxuriante, qui habitaient de longues bâtisses tournées vers le fleuve — toujours ornées d'un portique pseudo-grec en pin blanc. Un bon esclave leur coûtait mille dollars et ne durait pas longtemps. Certains poussaient l'ingratitude jusqu'à tomber malades et mourir. Il fallait tirer de ces êtres aléatoires le plus grand rendement.

---

6. **rastrear :** *suivre la piste, les traces ;* au sens figuré : *enquêter, s'informer.*

7. **negradas :** le suffixe **-ada** comporte des sens très divers ; il peut désigner un groupe, comme ici, mais il correspond plus souvent au français *un coup de* : **una patada** : *un coup de pied ;* **una puñalada** : *un coup de poignard,* etc. Il prend, dans ce contexte, une résonance péjorative (les nègres n'existent que collectivement) et rend compte de l'attitude de leurs maîtres à leur égard.

8. **caserón :** augmentatif de **casa,** par l'ajout du suffixe **-ón.**

9. **enfermarse :** cette forme pronominale, non admise par la royale Académie espagnole, est la seule employée en Argentine dans le sens de *tomber malade,* **enfermar** (sans **-se**) signifiant *contaminer.*

Por eso los tenían en los campos desde el primer sol hasta el último ; por eso requerían de las fincas una cosecha anual de algodón o tabaco o azúcar. La tierra, fatigada y manoseada por esa cultura impaciente, quedaba en pocos años exhausta : el desierto confuso y embarrado se metía en las plantaciones. En las chacras[1] abandonadas, en los suburbios, en los cañaverales apretados y en los lodazales[2] abyectos, vivían los *poor whites*, la canalla blanca. Eran pescadores, vagos cazadores, cuatreros[3]. De los negros solían mendigar pedazos de comida robada y mantenían en su postración un orgullo : el de la sangre sin un tizne[4], sin mezcla. Lazarus Morell fue uno de ellos.

EL HOMBRE

Los daguerrotipos[5] de Morell que suelen publicar las revistas americanas no son auténticos. Esa carencia de genuinas efigies de hombre tan memorable y famoso[6], no debe ser casual. Es verosímil suponer[7] que Morell se negó a la placa bruñida[8], esencialmente para no dejar inútiles rastros, de paso[9] para alimentar su misterio... Sabemos, sin embargo, que no fue agraciado de joven y que los ojos demasiado cercanos y los labios lineales no predisponían en su favor.

---

1. **chacra** : du quechua **chajra** ; désignait à l'origine les terrains destinés à l'agriculture, par opposition à la **estancia**, ou *élevage de bétail*. Aujourd'hui **la chacra** est *une petite exploitation agricole* à la périphérie de la ville et lui fournissant son alimentation quotidienne.
2. **cañaveral, lodazal** : le suffixe **-al** (ou **-ar**) peut former des noms désignant un terrain planté de certains arbres ou bien rempli d'une matière quelconque ; ex. : **el trigal** *(le champ de blé)*, **el pinar** *(le bois de pins)*, etc.
3. **cuatrero** : formé à partir de **cuatro**, en faisant allusion aux quatre pattes des animaux. Argent., *voleur de bétail* et par extension *voyou*.
4. **tizne** : m. à m. *la suie*. En Argentine, le cheval **tiznado** a une robe claire avec de grandes taches noires. Ici, le sang de Morell est dépourvu de la moindre souillure... noire, bien sûr.

Et c'est pourquoi ils les gardaient dans les champs des premiers rayons du soleil aux derniers ; pourquoi ils exigeaient de chaque domaine une récolte annuelle de coton, de tabac ou de sucre. La terre, épuisée et triturée par cette culture impatiente, se retrouvait en peu d'années stérile : le désert confus et fangeux envahissait les plantations. Dans les fermes abandonnées, dans les faubourgs, au milieu des denses forêts de canne à sucre et dans d'abjects cloaques vivaient les *poor whites,* la canaille blanche. Ils étaient pêcheurs, chasseurs occasionnels, voleurs de troupeaux. Souvent, ils mendiaient auprès des nègres des morceaux de nourriture dérobée et conservaient, dans leur déchéance, un motif de fierté : leur sang dépourvu de la moindre souillure, absolument pur. Lazarus Morell fut l'un d'entre eux.

L'HOMME

Les daguerréotypes publiés d'ordinaire par les revues américaines ne sont pas authentiques. Cette absence de portraits véridiques d'un homme aussi mémorable et célèbre n'est sans doute pas le fait du hasard. On peut supposer à bon droit que Morell s'était refusé à la plaque sensible ; avant tout pour ne pas laisser de traces inutiles, voire pour nourrir son mystère... Nous savons, cependant, qu'il fut disgracieux dans sa jeunesse et que ses yeux trop rapprochés et ses lèvres minces ne prédisposaient pas en sa faveur.

---

5. **daguerrotipos :** *daguerréotypes* ; procédé inventé par Daguerre (1838), par lequel l'image photographique de l'objet était fixée sur une plaque métallique.
6. **genuinas efigies... memorable... famoso :** l'auteur s'amuse à employer ce ton volontiers emphatique, parodiant ainsi les biographies des grands hommes, alors que Morell est en réalité une parfaite canaille.
7. **es verosímil suponer :** dans cette construction, pas de préposition **de**, en espagnol, entre l'adjectif et l'infinitif, pour traduire le français *de* ; mais on dira : **la cosa es fácil de hacer** *(la chose est facile à faire).*
8. **bruñida :** m. à m. *polie.*
9. **de paso :** *au passage, en passant* ; **dicho sea de paso :** *soit dit en passant.*

Los años, luego, le confirieron esa peculiar majestad [1] que tienen los canallas encanecidos, los criminales venturosos e [2] impunes. Era un caballero antiguo del Sur, pese a [3] la niñez miserable y a la vida afrentosa. No desconocía las Escrituras y predicaba con singular convicción. « Yo lo vi a Lazarus [4] Morell en el púlpito, anota el dueño de una casa de juego en Baton Rouge, Luisiana, y escuché sus palabras edificantes y vi las lágrimas acudir a sus ojos. Yo sabía que era un adúltero, un ladrón de negros y un asesino en la faz del Señor, pero también mis ojos lloraron [5]. »

Otro buen [6] testimonio de esas efusiones sagradas es el que suministra el propio [7] Morell. « Abrí al azar la Biblia, di con [8] un conveniente versículo de San Pablo y prediqué [9] una hora y veinte minutos. Tampoco malgastaron ese tiempo Crenshaw y los compañeros, porque se arrearon [10] todos los caballos del auditorio. Los vendimos en el Estado de Arkansas, salvo un colorado muy brioso que reservé para mi uso particular. A Crenshaw le agradaba también, pero yo le hice ver que no le servía. »

---

1. **majestad... canallas encanecidos :** Borges se divertit à nouveau en accolant ces trois mots, les cheveux blancs étant le signe de la sagesse et les canailles peu souvent majestueuses.
2. **e :** car le mot suivant, **impune**, commence par un i ; de la même façon, on dit **uno u** (et non pas o) **otro**.
3. **pese a :** *malgré* ; on rencontre également **a pesar de** et, en Argentine, le gallicisme **malgrado**.
4. **vi a Lazarus :** la préposition **a** est obligatoire devant le c.o.d. désignant une personne, à deux conditions : si la personne est déterminée et si elle est l'objet d'une action physique ou morale de la part du sujet.
5. **vi... escuché... lloraron :** le passé composé, en français, et non le passé simple, car c'est un tenancier de maison de jeux qui s'exprime ; en espagnol, le passé simple est normalement utilisé et n'implique pas un niveau de langue soutenu.

Par la suite, les années lui conférèrent cette majesté particulière qui est la marque des canailles à cheveux blancs, les criminels chanceux et impunis. Il était devenu un vénérable aristocrate du Sud, malgré son enfance misérable et sa vie ignominieuse. Il n'ignorait pas les Saintes Écritures et prêchait avec une singulière conviction. « Moi j'ai vu Lazarus Morell en chaire, note le propriétaire d'une maison de jeux de Baton Rouge, Louisiane, et j'ai écouté ses paroles édifiantes et j'ai vu jaillir ses larmes. Je savais qu'il était adultère, voleur de nègres, un assassin à la face du Seigneur, pourtant mes yeux ont pleuré eux aussi. »

Un autre bon témoignage de ces effusions sacrées est fourni par Morell lui-même. « J'ouvris la Bible au hasard, tombai sur un verset de saint Paul fort pertinent et prêchai pendant une heure et vingt minutes. Crenshaw et les autres camarades ne gaspillèrent pas non plus leur temps puisqu'ils fauchèrent tous les chevaux de l'auditoire. Nous les vendîmes en Arkansas, sauf un alezan impétueux que je conservai pour mon usage personnel. Il plaisait également à Crenshaw mais je lui fis comprendre qu'il ne lui convenait pas. »

---

6. **buen :** l'apocope de **bueno** (perte du son final **o**) est obligatoire devant un nom masculin singulier.

7. **propio :** *propre,* mais dans le sens de *caractéristique, véritable, naturel.* Ne confondez pas avec **limpio,** le contraire de *sale.*

8. **dar con :** *trouver par hasard, dénicher, rencontrer.*

9. **prediqué :** le verbe **predicar** est régulier mais subit une modification orthographique afin de conserver à la consonne finale du radical le même son à toutes les formes de la conjugaison ; ainsi, le **c** devient **qu** chaque fois qu'il est placé devant un **e.**

10. **arrearse :** de **arreos,** *harnais.* En Argentine, *emmener le bétail* ou *le voler.*

Los caballos robados en un Estado y vendidos en otro fueron apenas una digresión en la carrera delincuente de Morell, pero prefiguraron el método que ahora le asegura su buen lugar en una Historia Universal de la Infamia. Este método es único, no solamente[1] por las circunstancias *sui generis*[2] que lo determinaron, sino por la abyección que requiere, por su fatal manejo de la esperanza y por el desarrollo gradual, semejante a la atroz evolución de una pesadilla[3]. Al Capone y Bugs Moran operan con ilustres capitales y con ametralladoras serviles en una gran ciudad, pero su negocio es vulgar. Se disputan un monopolio, eso es todo… En cuanto a[4] cifras de hombres, Morell llegó a comandar unos mil[5], todos juramentados. Doscientos integraban el Consejo Alto, y éste promulgaba las órdenes que los restantes ochocientos cumplían. El riesgo recaía en[6] los subalternos. En caso de rebelión, eran entregados[7] a la justicia o arrojados al río correntoso de aguas pesadas[8], con una segura piedra a los pies. Eran con frecuencia mulatos. Su facinerosa misión era la siguiente :

Recorrían — con algún momentáneo[9] lujo de anillos, para inspirar respeto[10] — las vastas plantaciones del Sur.

1. **no solamente… sino** : *non seulement… mais encore.* Utiliser **pero**, à la place de **sino**, pour traduire ce *mais* serait grammaticalement incorrect.
2. **sui generis** : délibérément pédant, Borges joue sur le contraste entre ce qu'il raconte, des crimes, et le niveau de langue élevé, généralement réservé aux vies des grands hommes. Quant aux réactions du public, en principe populaire, auquel étaient destinées ces lignes…
3. **pesadilla** : l'auteur emploie ce mot, qu'il répudia plus tard lors d'une entrevue, opposant à sa laideur et à sa lourdeur (**pesadilla** vient de **pesado** : *lourd*) la beauté du français *cauchemar* ou de l'anglais *nightmare.*
4. **en cuanto a** : expressions similaires, **respecto a, a propósito de, en lo que atañe a, relativo a.**
5. **unos mil** : le pluriel **unos** est la façon la plus courante,

Les chevaux volés dans un État et vendus dans un autre représentèrent à peine une digression dans la carrière scélérate de Morell, mais ils préfigurèrent la méthode qui lui assure désormais une place de choix dans une Histoire Universelle de l'Infamie. Cette méthode est unique, non seulement en raison des circonstances *sui generis* qui l'avaient déterminée, mais aussi par l'abjection qu'elle requiert, par son exploitation funeste de l'espérance et par son développement progressif, semblable au déroulement atroce d'un cauchemar. Al Capone et Bugs Moran opèrent dans une grande ville à l'aide de capitaux illustres et de mitraillettes serviles, mais leurs affaires sont triviales. Ils se disputent un monopole, et c'est tout... Quant au nombre d'hommes, Morell parvint à en commander un millier, tous assermentés. Deux cents composaient le Conseil Supérieur, et ce dernier promulguait les ordres exécutés par les huit cents autres. Les risques étaient encourus par les subalternes. En cas de rébellion, ceux-ci étaient livrés à la justice ou jetés dans le fleuve aux eaux rapides et boueuses, avec une pierre bien fixée aux pieds. C'étaient souvent des mulâtres. Voici quelle était leur mission scélérate :

Ils parcouraient — étalant un luxe momentané de bagues, pour inspirer confiance — les vastes plantations du Sud.

---

en espagnol, pour désigner un nombre approximatif. **Mil** est invariable lorsqu'il s'agit du numéral.

6. **recaer en :** *échoir ;* **recaer sobre :** *retomber sur, rejaillir.*

7. **eran entregados :** le verbe **ser**, avec le participe passé, puisque c'est une voix passive.

8. **pesadas :** les eaux sont *lourdes,* parce que boueuses, ce qui ajoute à l'horreur de la situation.

9. **momentáneo :** *momentané,* car les bagues ne leur sont prêtées que le temps d'une mission.

10. **respeto :** ne confondez pas **respeto,** *le respect,* et **respecto a** ou **de :** *au sujet de.*

Elegían un negro desdichado y le proponían la libertad. Le decían que huyera [1] de [2] su patrón, para ser vendido por ellos una segunda vez, en alguna finca distante. Le darían entonces un porcentaje del precio de su venta y lo ayudarían a otra evasión. Lo conducirían después a un Estado libre. Dinero y libertad, dólares resonantes de plata con libertad, ¿ qué mejor tentación iban [3] a ofrecerle ? El esclavo se atrevía [4] a su primera fuga.

El natural camino era el río. Una canoa, la cala de un vapor, un lanchón [5], una gran balsa como el cielo con una casilla en la punta o con elevadas carpas de lona ; el lugar no importaba, sino el saberse [6] en movimiento, y seguro sobre el infatigable río... Lo vendían en otra plantación. Huía otra vez a los cañaverales o a las barrancas [7]. Entonces los terribles bienhechores (de quienes empezaba ya a desconfiar [8]) aducían [9] gastos oscuros y declaraban que tenían que venderlo [10] una última vez. A su regreso le darían el porcentaje de las dos ventas y la libertad. El hombre se dejaba vender, trabajaba un tiempo y desafiaba en la última fuga el riesgo de los perros de presa y de los azotes. Regresaba con sangre, con sudor, con desesperación y con sueño.

---

1. **le decían que huyera** : l'imparfait du subjonctif **huyera**, car **decían** exprime un ordre, à un temps du passé.
2. **huir de** : notez la préposition **de** ; en bonne logique, l'espagnol emploie **de** puisqu'il y a éloignement, mais dit **acercarse a** (s'approcher de) car il y a mouvement vers.
3. **iban** : l'un des trois imparfaits irréguliers de la conjugaison espagnole, avec **era** (ser) et **veía** (ver).
4. **se atrevía** : du verbe **atreverse**, toujours pronominal en espagnol.
5. **lanchón** : augmentatif de **lancha**, *barque, canot.*
6. **el saberse** : *le fait de se savoir.* Notez cet infinitif substantivé, très fréquent en espagnol et possible pour tous les infinitifs exprimant par eux-mêmes le sens d'une action, autrement dit ceux des verbes intransitifs ou employés intransitivement.

Ils choisissaient un nègre malheureux et lui proposaient la liberté. Ils l'exhortaient à fuir son patron, avant d'être vendu par leur entremise une seconde fois, dans une propriété éloignée. Ils lui verseraient alors un pourcentage du prix de sa vente et l'aideraient à s'enfuir de nouveau. Ils le mèneraient ensuite dans un État libre. Richesse et liberté, dollars sonnants et trébuchants en argent associés à la liberté, quelle plus grande tentation pouvait-on lui offrir ? L'esclave se risquait à sa première fugue.

La voie naturelle était le fleuve. Un canot, la cale d'un vapeur, une barcasse, un radeau immense, semblable au ciel, avec une cabane au bout ou de hautes tentes de toile ; l'endroit importait peu, ce qui comptait, c'était se sentir en mouvement, et en sécurité, sur le fleuve infatigable... Ils le vendaient dans une autre plantation. Il s'enfuyait de nouveau dans les champs de canne à sucre ou dans les ravins. Alors, les terribles bienfaiteurs (dont il commençait maintenant à se méfier) alléguaient des frais mystérieux et déclaraient devoir le vendre une dernière fois. A leur retour, ils lui donneraient son pourcentage sur les deux ventes et la liberté. L'homme se laissait vendre, travaillait un temps et bravait, dans son ultime fugue, le danger des molosses et des coups de fouet. Il revenait couvert de sang et de sueur, la tête remplie de désespoir et de rêves.

---

7. **barrancas :** barranco existe également, avec le même sens de *ravin.*
8. **de quienes empezaba a desconfiar :** desconfiar s'emploie avec la préposition **de,** mais on dira **confiar en,** *avoir confiance en.*
9. **aducían :** du verbe aducir, *alléguer* ; attention à sa conjugaison sur le même modèle que tous les verbes se terminant en -ducir.
10. **tenían que venderlo :** tener que + l'infinitif traduit une obligation absolue ; si les « terribles bienfaiteurs » doivent vendre l'esclave une dernière fois, c'est vraiment parce qu'ils ne peuvent pas faire autrement, font-ils ainsi comprendre au malheureux Noir.

Falta considerar el aspecto jurídico de estos hechos. El negro no era puesto a la venta por los sicarios [1] de Morell hasta que el dueño primitivo no hubiera [2] denunciado su fuga y ofrecido una recompensa a quien lo encontrara. Cualquiera entonces lo podía retener, de suerte que su venta ulterior era un abuso de confianza, no un robo. Recurrir a la justicia civil era un gasto inútil, porque los daños no eran nunca pagados.

Todo eso era lo más tranquilizador [3], pero no para siempre. El negro podía hablar ; el negro, de puro agradecido [4] o infeliz, era capaz de hablar. Unos jarros de whisky de centeno en el prostíbulo de El Cairo, Illinois, donde el hijo de perra [5] nacido esclavo iría a malgastar esos pesos fuertes que ellos no tenían por qué darle, y se le derramaba el secreto. En esos años, un Partido Abolicionista agitaba el Norte, una turba de locos peligrosos que negaban la propiedad [6] y predicaban la liberación de los negros y los incitaban a huir. Morell no iba a dejarse confundir con esos anarquistas [7]. No era un yankee, era un hombre blanco del Sur hijo y nieto de blancos, y esperaba retirarse de los negocios y ser un caballero y tener sus leguas de algodonal y sus inclinadas filas de esclavos. Con su experiencia, no estaba para riesgos inútiles.

---

1. **sicarios :** *sicaires,* terme vieilli ou littéraire, tant en espagnol qu'en français, pour désigner un tueur à gages.

2. **hasta que no hubiera :** comme en français, la subordonnée dont l'action est postérieure à celle de la principale a un verbe au subjonctif. Néanmoins, la conjonction **hasta que** peut être suivie de l'indicatif si l'action revêt davantage l'aspect d'une conséquence que d'un but ; **la madre meció a su niño hasta que se durmió :** *la mère berça son enfant jusqu'au moment où il s'endormit.*

3. **lo más tranquilizador :** lo joue ici un rôle d'article, devant un adjectif qui devient ainsi un nom abstrait et invariable ; on retrouve cette même valeur dans certaines locutions adverbiales : **a lo lejos** *(au loin),* **a lo más** *(tout au plus),* etc.

4. **de puro agradecido :** puro est adverbial dans cette

Il reste à considérer l'aspect juridique de ces faits. Le nègre n'était pas mis en vente par les sicaires de Morell avant que son maître initial n'eût dénoncé sa fuite et offert une récompense à qui le trouverait. Quiconque avait alors le droit de le capturer, de sorte que sa vente ultérieure n'était plus un vol mais un simple abus de confiance. Et avoir recours aux tribunaux civils représentait une dépense inutile, car les torts n'étaient jamais réparés.

Voilà qui était des plus rassurant, mais non de façon définitive. Le nègre pouvait parler ; le nègre, par pure reconnaissance ou par désespoir, était bien capable de parler. Quelques pichets de whisky de seigle dans le bordel du Caire, Illinois, où ce fils de chienne, né esclave, allait gaspiller ces bonnes pièces de monnaie qu'ils n'avaient aucune raison de lui donner, et il laisserait échapper son secret. A cette époque, un Parti Abolitionniste agitait le Nord, une bande de fous dangereux qui niaient la propriété, prêchaient l'émancipation des Noirs et les incitaient à s'enfuir. Morell n'allait pas se laisser confondre avec ces anarchistes. Ce n'était pas un Yankee, mais un homme blanc du Sud, fils et petit-fils de Blancs, et il aspirait à se retirer des affaires et à devenir un aristocrate et à posséder ses lieues de champs de coton et ses files courbées d'esclaves. Avec son expérience, il n'était pas disposé à prendre des risques inutiles.

---

locution **de puro** et reste donc invariable ; quant à l'adjectif, il s'accorde avec le nom auquel il se rapporte : **de puro agradecidos, los negros...**
5. **hijo de perra :** remarquez la progression ; **el negro podía hablar, el negro era capaz de hablar,** et, finalement, **se le derramaba el secreto.** Morell s'exprime ici par la voix de l'auteur, il devient de plus en plus méprisant à l'égard des nègres et semble céder peu à peu à la colère.
6. **locos que negaban la propiedad :** discours savoureux, dans la bouche d'un voleur qui se fait ainsi le défenseur des valeurs bourgeoises.
7. **esos anarquistas :** dans ce contexte, **esos** a une valeur péjorative ; à l'inverse, **aquel** peut avoir une valeur emphatique, laudative : **aquel escritor,** ce *grand écrivain*.

El prófugo esperaba la libertad. Entonces los mulatos nebulosos[1] de Lazarus Morell se transmitían una orden que podía no pasar de una seña[2] y lo libraban[3] de la vista, del oído, del tacto, del día, de la infamia, del tiempo, de los bienhechores, de la misericordia, del aire, de los perros, del universo, de la esperanza, del sudor y de él mismo[4]. Un balazo, una puñalada baja o un golpe, y las tortugas y los barbos del Mississippi recibían la última información[5].

LA CATASTROFE

Servido por hombres de confianza, el negocio tenía que prosperar. A principios de 1834 unos setenta negros habían sido « emancipados » ya por Morell, y otros se disponían a seguir a esos precursores dichosos[6]. La zona de operaciones era mayor y era necesario admitir nuevos afiliados. Entre los que prestaron el juramento había un muchacho, Virgil Stewart, de Arkansas, que se destacó muy pronto por su crueldad. Este muchacho era sobrino de un caballero que había perdido muchos esclavos. En agosto de 1834 rompió su juramento y delató a Morell y a los otros. La casa de Morell en Nueva Orleans fue cercada[7] por la justicia. Morell, por una imprevisión o un soborno, pudo[8] escapar.

---

1. **nebulosos :** *nébuleux,* au sens figuré d'*incertain,* d'*obscur.*
2. **no pasar de una seña :** m. à m. *ne pas être davantage qu'un signe.*
3. **librar de :** *sauver, délivrer, affranchir ;* **librar un combate :** *livrer un combat ;* **librarse de un problema :** *éviter un problème.*
4. c'est en tuant l'esclave qu'ils le délivrent de toutes ses misères. Notez cet assemblage de mots disparates ; Borges parvient ainsi, en quelques lignes, à décrire des existences soumises au hasard et à l'oppression, des hommes n'ayant aucun pouvoir de décision sur leur destin.

Le fugitif espérait la liberté. Alors les mulâtres ténébreux de Lazarus Morell se transmettaient un ordre, un simple signe parfois, et le libéraient de la vue, de l'ouïe, du tact, du jour, de l'infamie, du temps, des bienfaiteurs, de la miséricorde, de l'air, des chiens, de l'univers, de l'espérance, de la sueur et de lui-même. Un coup de feu, un poignard planté sournoisement ou bien un choc violent, et les tortues et barbeaux du Mississippi étaient les derniers à connaître son sort.

LA CATASTROPHE

Exécutées par des hommes de confiance, les affaires ne pouvaient que prospérer. Début 1834, quelque soixante-dix nègres avaient déjà été « émancipés » par Morell, et d'autres se préparaient à suivre les traces de ces heureux précurseurs. La zone d'opérations s'était étendue, il fallait admettre de nouveaux adhérents. Parmi ceux qui prêtèrent serment se trouvait un jeune homme, Virgil Stewart, de l'Arkansas, qui se singularisa bientôt par sa cruauté. Il s'agissait du neveu d'un aristocrate ayant perdu beaucoup d'esclaves. En août 1834, il brisa son serment et dénonça Morell et les autres. La maison de Morell, à La Nouvelle-Orléans, fut encerclée par les forces de la loi. Morell réussit à s'enfuir, grâce à une négligence ou à une subornation.

Tres días pasaron. Morell estuvo escondido ese tiempo en una casa antigua, de patios con enredaderas y estatuas, de la calle Toulouse. Parece que se alimentaba muy poco y que solía recorrer descalzo las grandes habitaciones oscuras, fumando pensativos cigarros[1]. Por un esclavo de la casa remitió[2] dos cartas a la ciudad de Natchez y otra a Red River. El cuarto día entraron en la casa tres hombres y se quedaron discutiendo con él hasta el amanecer[3]. El quinto, Morell se levantó cuando oscurecía y pidió una navaja y se rasuró cuidadosamente la barba. Se vistió y salió. Atravesó con lenta serenidad los suburbios del Norte. Ya en pleno campo[4], orillando las tierras bajas del Mississippi, caminó más ligero.

Su plan era de un coraje[5] borracho. Era el de aprovechar los últimos hombres[6] que todavía le debían reverencia : los serviciales negros del Sur. Éstos[7] habían visto huir a sus compañeros y no los habían visto volver. Creían, por consiguiente, en[8] su libertad. El plan de Morell era una sublevación total de los negros, la toma y el saqueo de Nueva Orleans y la ocupación de su territorio. Morell, despeñado y casi deshecho por la traición, meditaba una respuesta continental : una respuesta donde lo criminal se exaltaba hasta la redención y la historia[9]. Se dirigió con ese fin a Natchez, donde era más profunda su fuerza. Copio su narración de ese viaje :

---

1. **pensativos cigarros :** Borges est très friand de ces figures stylistiques ; ici une hypallage, procédé qui consiste à attribuer à un mot de la phrase ce qui convenait à un autre mot : les cigares sont pensifs ; quant à Lazarus Morell, il se contente de fumer.

2. **remitió :** passé simple du verbe **remitir,** synonyme de **mandar** ou **enviar. El remitente :** *l'expéditeur ;* **el remite :** *le nom et l'adresse de l'expéditeur.*

3. **el amanecer :** *le lever du jour,* du verbe **amanecer :** *faire jour,* si le sujet est une personne : *se réveiller ;* **ayer, amanecí pronto :** *hier, je me suis réveillé tôt.*

4. **en pleno campo :** m. à m. *en plein champ.* **Pleno** est généralement utilisé au sens abstrait, et **lleno** au sens concret.

5. **coraje :** *courage,* dans ce contexte, alors que ce mot

Trois journées s'écoulèrent. Morell passa tout ce temps-là caché dans une maison ancienne de la rue Toulouse, aux patios ornés de plantes grimpantes et de statues. Il se nourrissait fort peu, semble-t-il, et parcourait souvent, pieds nus, les grandes pièces obscures, en fumant des cigares pensifs. Par l'intermédiaire d'un esclave de la maison, il expédia deux lettres à Natchez et une autre à Red River. Le quatrième jour, trois hommes s'introduisirent dans la demeure et restèrent à discuter avec lui jusqu'à la tombée de la nuit. Lorsque s'obscurcit le cinquième jour, Morell se leva, demanda un rasoir et se rasa soigneusement la barbe. Il s'habilla et sortit. Il traversa d'un pas lent et serein les faubourgs du Nord. Quand il eut atteint les champs, le long des terres basses du Mississippi, sa course se fit plus légère.

Son plan dénotait un courage d'ivrogne. Il consistait à profiter des derniers hommes qui lui témoignaient encore de la déférence : les nègres zélés du Sud. Ceux-ci avaient observé la fuite de leurs compagnons et ne les avaient pas vus revenir. Ils les croyaient donc libres. Le plan de Morell comportait le soulèvement général des nègres, la prise et la mise à sac de La Nouvelle-Orléans, l'occupation de son territoire. Morell, terrassé et presque anéanti par la trahison, méditait une réponse continentale : une réponse où l'exaltation du crime atteignait à la rédemption et à l'histoire. Il prit donc la direction de Natchez : sa puissance y était plus solidement établie. Je recopie le récit qu'il donna de ce voyage :

---

signifie le plus souvent *colère* ou *irritation* ; *courage* est généralement traduit par **valor**.

6. **aprovechar los últimos hombres :** notez la construction de **aprovechar** *(profiter de)*, verbe transitif direct ; mais on dira, en revanche, **aprovecharse de algo**, avec le même sens.

7. **éstos :** le e porte un accent écrit car il s'agit du pronom démonstratif, *ceux-ci, ces derniers.*

8. **creían en :** le verbe **creer** se construit avec la préposition **en** : **creer en alguien** *(croire en quelqu'un)*, **creer en algo** *(croire à quelque chose).*

9. **la redención y la historia :** Morell, par la grâce de la plume de Borges, devient une espèce de personnage épique, un héros de tragédie classique... mais le clin d'œil de l'auteur ne nous a pas échappé.

« Caminé cuatro días antes de conseguir un caballo. El quinto hice alto [1] en un riachuelo [2] para abastecerme de agua y sestear. Yo estaba sentado en un leño, mirando el camino andado esas horas, cuando vi acercarse un jinete en un caballo oscuro de buena estampa [3]. En cuanto [4] lo avisté [5] determiné quitarle el caballo. Me paré, le apunté con una hermosa pistola de rotación y le di la orden de apear. La ejecutó y yo tomé en la zurda las riendas y le mostré el riachuelo y le ordené que fuera caminando [6] delante. Caminó unas doscientas varas [7] y se detuvo. Le ordené que se desvistiera. Me dijo : "Ya que está resuelto a matarme, déjeme [8] rezar antes de morir". Le respondí que no tenía tiempo de oír sus oraciones. Cayó de rodillas y le descerrajé [9] un balazo en la nuca. Le abrí de un tajo el vientre, le arranqué las vísceras y lo hundí en el riachuelo. Luego recorrí los bolsillos y encontré cuatrocientos dólares con treinta y siete centavos y una cantidad de papeles que no me demoré en revisar. Sus botas eran nuevas, flamantes, y me quebadan bien. Las mías, que estaban muy gastadas, las hundí en el riachuelo.

» Así obtuve el caballo que precisaba [10], para entrar en Natchez. »

---

1. **hacer alto :** *faire halte ;* **pasar por alto :** *passer sous silence, oublier ;* **en lo alto :** *tout en haut.*
2. **riachuelo :** diminutif de *río,* formé à l'aide du suffixe -uelo, très classique mais moins courant que -ito. Les diminutifs sont fréquemment employés en espagnol, surtout dans le style familier, avec une valeur affective, ce qui n'est, bien sûr, pas le cas ici.
3. **estampa :** *image, estampe, marque* (**la estampa del genio :** *la marque du génie*), *apparence* (**tener buena ou mala estampa :** *avoir fière ou mauvaise allure*).
4. **en cuanto lo avisté :** l'indicatif, après **en cuanto,** car il s'agit d'un fait réel présent ou passé ; on dira en revanche **ven a verme en cuanto llegues :** *viens me voir dès que tu arriveras.*
5. **avistar :** *apercevoir de loin ;* **avistarse con** alguien : *rencontrer quelqu'un afin de régler une affaire.*

« Je marchai quatre jours sans me procurer un cheval. Le cinquième, je fis halte au bord d'un ruisseau afin de m'approvisionner en eau et de piquer un somme. J'étais assis sur une souche, mesurant le chemin parcouru depuis le début, lorsque je vis s'approcher un cavalier sur un cheval sombre de fière allure. A peine l'eus-je aperçu que je décidai de lui voler sa monture. Je me dressai, le visai avec un magnifique revolver à barillet et lui ordonnai de mettre pied à terre. Il s'exécuta et je saisis les rênes de la main gauche, tout en lui montrant la rivière et en lui intimant l'ordre d'avancer. Il marcha pendant quelque deux cents aunes et s'arrêta. Je lui ordonnai de se déshabiller. Il me dit : "Puisque vous êtes décidé à me tuer, laissez-moi prier avant de mourir." Je lui répondis que je n'avais pas le temps d'écouter ses oraisons. Il tomba à genoux et je lui tirai une balle dans la nuque. Je lui ouvris le ventre d'un coup de couteau, lui arrachai ses entrailles et l'enfonçai dans le ruisseau. Je fouillai ensuite ses poches et y trouvai quatre cents dollars et trente-sept cents et une masse de papiers que je ne perdis pas de temps à vérifier. Ses bottes étaient flambant neuves et m'allaient bien. Quant aux miennes, très usées, je les jetai dans le ruisseau.

« Voilà comment j'obtins le cheval nécessaire pour entrer dans Natchez. »

---

6. **le ordoné que fuera caminando :** l'espagnol respecte scrupuleusement les règles de concordance des temps ; le verbe de la principale exprime un ordre à un temps du passé ; la subordonnée se construit donc à l'imparfait du subjonctif. Notez également le verbe **ir**, semi-auxiliaire, avec un gérondif (forme progressive).

7. **vara :** *aune*, unité de longueur mesurant environ 1,20 mètre.

8. **déjeme :** le premier **e** de **déjeme** porte un accent écrit à cause de l'enclise du pronom personnel **me**.

9. **descerrajar :** *forcer une serrure* (de **cerraja**, *serrure*) et, dans le langage familier, *tirer (un coup de feu)*.

10. **precisar algo :** *avoir besoin de quelque chose ;* **es preciso que lo hagas :** *tu dois le faire.*

Morell capitaneando pobladas negras que soñaban ahorcarlo, Morell ahorcado por ejércitos negros que soñaba capitanear[1] — me duele confesar[2] que la historia del Mississippi no aprovechó esas oportunidades suntuosas. Contrariamente a toda justicia poética (o simetría poética) tampoco el río de sus crímenes fue su tumba. El 2 de enero de 1835, Lazarus Morell falleció de una congestión pulmonar en el hospital de Natchez, donde se había hecho internar bajo el nombre de Silas Buckley. Un compañero de la sala común lo reconoció. El dos y el cuatro, quisieron[3] sublevarse los esclavos de ciertas plantaciones, pero los reprimieron sin mayor efusión de sangre[4].

---

1. **soñaba capitanear :** soñar est ici transitif et se construit donc sans préposition ; on dira aussi **soñar con algo** : *rêver de quelque chose.* Notez ce superbe chassé-croisé : **Morell capitaneando... capitanear.** Borges manifeste ainsi ce goût pour la symétrie poétique qu'il mentionne dans la phrase suivante.

2. **me duele confesar :** doler se construit de la même façon que **gustar** ; **me duelen las muelas :** *j'ai mal aux dents ;* **me gustan estas películas :** *j'aime ces films.*

3. **quisieron :** passé simple irrégulier du verbe **querer.**

4. **sin mayor efusión de sangre :** litote qui en dit long sur la brutalité de la répression.

Morell à la tête de hordes nègres qui rêvaient de le pendre, Morell pendu par des armées nègres qu'il rêvait de commander — je confesse à mon grand regret que l'histoire du Mississippi ne sut pas saisir ces chances somptueuses. A l'encontre de toute justice poétique (ou symétrie poétique), le fleuve de ses crimes ne fut pas non plus son tombeau. Le 2 janvier 1835, Lazarus Morell décéda d'une congestion pulmonaire à l'hôpital de Natchez, où il s'était fait admettre sous le nom de Silas Buckley. Il y fut reconnu par l'un de ses compagnons de la salle commune. Le 2 et le 4, les esclaves de certaines plantations tentèrent de se soulever, mais on les réprima sans effusion de sang excessive.

Vous avez rencontré dans cette histoire l'équivalent des expressions françaises suivantes.

Vous en souvenez-vous ?

1. L'empereur proposa l'importation d'esclaves qui s'échineraient dans les mines.
2. Chez eux, il n'y a rien d'autre que du sable.
3. Au début de ce siècle, les plantations étaient travaillées par des nègres.
4. Ils avaient des prénoms, mais ils pouvaient se passer de noms.
5. Un bon travailleur leur coûtait cinq cents dollars et durait peu de temps.
6. Ils avaient l'habitude de mendier auprès des nègres des morceaux de nourriture.
7. C'était un gentilhomme du Sud, malgré son enfance misérable.
8. Cette méthode est unique, non seulement en raison des circonstances, mais aussi par les efforts qu'elle exige.
9. Pour ce qui est des hommes, il en commanda finalement un millier environ.
10. Reste à considérer l'aspect moral de ces faits.
11. Alors les propriétaires alléguaient de mystérieuses dépenses.
12. Il n'était pas disposé à prendre des risques inutiles.

1. El emperador propuso la importación de esclavos que se extenuaran en las minas.
2. Entre ellos, no había otra cosa que arena.
3. A principios de este siglo, las plantaciones eran trabajadas por negros.
4. Nombres tenían, pero podían prescindir de apellidos.
5. Un buen trabajador les costaba quinientos dólares y no duraba mucho.
6. De los negros solían mendigar pedazos de comida.
7. Era un caballero del Sur, a pesar de la niñez miserable.
8. Este método es único, no solamente por las circunstancias, sino por los esfuerzos que requiere.
9. En cuanto a hombres, llegó a comandar unos mil.
10. Falta considerar el aspecto moral de estos hechos.
11. Entonces los propietarios aducían gastos oscuros.
12. No estaba para riesgos inútiles.

El impostor inverosímil Tom Castro

L'imposteur invraisemblable Tom Castro

Ese nombre le doy porque bajo[1] ese nombre lo conocieron[2] por calles y por casas de Talcahuano, de Santiago de Chile y de Valparaíso, hacia 1850, y es justo que lo asuma otra vez, ahora que retorna a estas tierras — siquiera[3] en calidad de mero[4] fantasma y de pasatiempo del sábado. El registro de nacimiento de Wapping lo llama Arthur Orton y lo inscribe en la fecha 7 de junio de 1834. Sabemos que era hijo de un carnicero, que su infancia conoció la miseria insípida de los barrios bajos de Londres y que sintió[5] el llamado del mar. El hecho no es insólito. *Run away to sea*, huir al mar, es la rotura[6] inglesa tradicional de la autoridad de los padres, la iniciación heroica. La geografía la recomienda y aun[7] la Escritura (Salmos, CVII) : *Los que bajan en barcos a la mar, los que comercian en las grandes aguas ; ésos ven las obras de Dios y sus maravillas en el abismo.* Orton huyó de su deplorable suburbio color rosa tiznado y bajó en un barco a la mar y contempló con el habitual desengaño la Cruz del Sur, y desertó en el puerto de Valparaíso. Era persona de una sosegada idiotez. Lógicamente, hubiera podido (y debido) morirse de hambre, pero su confusa jovialidad, su permanente sonrisa y su mansedumbre[8] infinita le conciliaron el favor de cierta familia de Castro[9], cuyo nombre[10] adoptó.

---

1. **bajo** : *sous,* est généralement employé au sens figuré ; la préposition composée correspondante, **debajo de**, se réfère au contraire à une position concrète.
2. **lo conocieron** : la troisième personne du pluriel équivaut au sujet impersonnel *on.*
3. **siquiera** : notez la valeur et la construction de cet adverbe, qui traduit le français *ne serait-ce que.*
4. **mero** : *simple, pur, unique ;* **sencillo** exprime le contraire de *compliqué.*
5. **sintió** : attention à la conjugaison du verbe **sentir**, avec une double irrégularité d'affaiblissement du **e** en **i** (**sintamos, sintieron, sintiera, sintiendo**) et de diphtongaison du **e** en **ie** (**siento, sienta**).
6. **rotura** : du verbe **romper**, *briser,* et de son participe passé irrégulier, **roto.**

Je lui donne ce nom, parce que c'est sous ce nom qu'on l'avait connu dans les rues et les maisons de Talcahuano, de Santiago de Chile et de Valparaíso, vers 1850, et il est juste qu'il l'assume à nouveau, de retour maintenant dans ces contrées — ne serait-ce qu'en qualité de simple fantôme et de passe-temps du samedi (j'emploie cette métaphore pour rappeler au lecteur que ces biographies infâmes furent publiées dans le supplément du samedi d'un quotidien du soir). Le registre des naissances de Wapping fait état d'un certain Arthur Orton et l'inscrit à la date du 7 juin 1834. Nous savons qu'il était le fils d'un boucher, que son enfance connut la misère insipide des bas quartiers de Londres et qu'il fut sensible à l'appel de la mer. Rien d'insolite à cela. *Run away to sea,* s'enfuir vers la mer, représente la façon traditionnelle, en Angleterre, d'échapper à l'autorité des parents, l'initiation héroïque. La géographie le suggère, et même l'Écriture (Psaumes, CVII) : « *Ceux qui étaient descendus vers la mer dans des bateaux, et qui travaillaient sur les grandes eaux, ceux-là virent les œuvres de l'Éternel et ses merveilles au milieu de l'abîme.* »

Orton abandonna son misérable faubourg aux tons roses maculés de suie et gagna la mer en bateau et contempla avec la déception habituelle la Croix du Sud et déserta dans le port de Valparaíso. C'était un individu d'une sottise paisible. En bonne logique, il aurait pu (et dû) mourir de faim, mais sa jovialité confuse, son sourire permanent et son infinie docilité lui concilièrent les faveurs d'une certaine famille Castro, dont il adopta le nom.

---

7. **aun :** *même,* précède les mots qu'il modifie ; il s'écrit donc sans accent. Avec accent, **aún** a le sens d'*encore* (synonyme de **todavía**).

8. **mansedumbre :** *douceur, docilité* (d'une personne ou d'un animal), *clémence* (du climat). Défaut majeur du taureau, qui le prive de ses qualités de combattant lors de la corrida.

9. **cierta familia de Castro :** en espagnol, le nom de famille est sous forme de complément et non d'apposition ; on dira par exemple **la señora de Teruel,** *Mme Teruel.*

10. **cuyo nombre : cuyo** traduit le français *dont ;* il relie à l'antécédent, **familia de Castro,** un complément de nom précédé de l'article défini en français et s'accorde avec celui-ci (ex. **la casa cuyas puertas veo :** *la maison dont je vois les portes*).

De ese episodio sudamericano no quedan huellas, pero su gratitud no decayó[1], puesto que[2] en 1861 reaparece en Australia, siempre con ese nombre : Tom Castro. En Sydney conoció un tal Bogle, un negro sirviente. Bogle, sin ser hermoso, tenía ese aire reposado y monumental, esa solidez como de obra de ingeniería[3] que tiene el hombre negro entrado en años, en carnes y en autoridad. Tenía una segunda condición, que determinados manuales de etnografía han negado a su raza : la ocurrencia[4] genial. Ya veremos luego la prueba. Era un varón morigerado[5] y decente[6], con los antiguos apetitos africanos muy corregidos por el uso y abuso[7] del calvinismo. Fuera de las visitas del dios (que describiremos después) era absolutamente normal, sin otra irregularidad que un pudoroso y largo temor que lo demoraba en las bocacalles, recelando del Este, del Oeste, del Sur y del Norte, del violento vehículo que daría fin a sus días.

Orton lo vio un atardecer en una desmantelada esquina de Sydney, creándose decisión para sortear la imaginaria muerte. Al rato largo de mirarlo[8] le ofreció el brazo y atravesaron asombrados los dos la calle inofensiva. Desde ese instante de un atardecer ya difunto, un protectorado se estableció : el del negro inseguro y monumental sobre el obeso tarambana[9] de Wapping. En septiembre de 1865, ambos[10] leyeron en un diario local un desolado aviso.

---

1. **decayó :** passé simple irrégulier du verbe **decaer** (conjugaison sur le modèle de **caer**).
2. **puesto que :** *étant donné que* (dado que), *puisque* (ya que), *vu que* (en vista de que).
3. **la ingeniería :** *le génie civil, l'ingénierie ;* **la obra de ingeniería :** *la réalisation technique, la construction de génie civil.*
4. **la ocurrencia :** du verbe **ocurrir**, *arriver, se passer* (suceder), mais aussi *venir à l'esprit, passer par la tête* ; **se me ocurre una idea :** *j'ai une idée.*
5. **morigerado :** *de bonnes mœurs, modéré.*
6. **decente :** *honnête* et *respectable* plutôt que *décent,* qui en français a des connotations sexuelles.

Il ne reste aucune trace de cet épisode sud-américain, mais sa gratitude n'en diminua pas pour autant, puisqu'il réapparaît en 1861, en Australie, toujours sous ce nom : Tom Castro. A Sydney, il fit la connaissance d'un dénommé Bogle, un domestique nègre. Bogle, sans être beau, avait cet aspect serein et monumental, cette solidité des ouvrages architecturaux qui caractérisent l'homme noir lorsqu'il prend de l'âge, de l'embonpoint et de l'autorité. Il possédait une seconde qualité que dénient à sa race bon nombre de manuels d'ethnographie : la faculté d'avoir des intuitions géniales. La suite nous le prouvera amplement. C'était un homme circonspect et respectable, dont les anciens appétits africains avaient été corrigés par l'us et l'abus du calvinisme. A part les visites du dieu (que nous décrirons plus tard), il était absolument normal, sans autre incongruité qu'une peur pudique et obsédante qui le faisait s'arrêter aux carrefours, se méfiant de l'Est, de l'Ouest, du Sud et du Nord, du violent véhicule qui mettrait fin à ses jours.

Orton l'aperçut un soir à un coin de rue défoncé de Sydney, se donnant du courage pour affronter la mort imaginaire. Après l'avoir observé longuement, il lui offrit son bras et ils traversèrent tous deux stupéfaits la rue inoffensive. Dès cet instant, cette tombée d'un jour déjà défunt, un protectorat s'établit : celui du nègre hésitant et monumental sur l'écervelé obèse de Wapping. En septembre 1865, ils lurent l'un et l'autre un avis affligé dans un journal local.

---

7. **el uso y abuso :** *usus, fructus* et *abusus* sont les trois éléments constitutifs de la propriété en latin (le droit d'utiliser un bien, d'en tirer profit et de le vendre) ; l'auteur s'amuse ici à reprendre deux de ces termes dans un domaine radicalement différent.
8. **al largo rato de mirarlo :** notez cette construction ; **al poco rato de salir :** *peu de temps après être sorti.*
9. **tarambana,** *écervelé,* appartient au langage familier.
10. **ambos :** on traduit *tous deux* par **ambos** quand il s'agit de personnes ou d'objets allant par paire ou déjà rapprochés dans le contexte.

En las postrimerías de abril de 1854 (mientras Orton provocaba [1] las efusiones de la hospitalidad chilena, amplia como sus patios) naufragó en aguas del Atlántico el vapor *Mermaid,* procedente de Río de Janeiro, con rumbo a Liverpool. Entre los que perecieron estaba Roger Charles Tichborne, militar inglés criado en Francia, mayorazgo [2] de una de las principales familias católicas de Inglaterra. Parece inverosímil, pero la muerte de ese joven afrancesado [3], que hablaba inglés con el más fino acento de París y despertaba ese incomparable rencor que sólo causan la inteligencia, la gracia y la pedantería [4] francesas, fue un acontecimiento trascendental [5] en el destino de Orton, que jamás lo había visto. Lady Tichborne, horrorizada madre de Roger, rehusó creer [6] en su muerte y publicó desconsolados avisos [7] en los periódicos de más amplia circulación. Uno de esos avisos cayó en las blandas manos funerarias [8] del negro Bogle, que concibió un proyecto genial.

---

1. **mientras Orton provocaba :** mientras a deux valeurs différentes, selon qu'il est employé avec l'indicatif (*pendant que*) ou le subjonctif (*tant que*).
2. **mayorazgo :** de **mayor,** *aîné ; fils aîné, héritier d'un majorat.*
3. **afrancesado :** personne de culture française et aussi partisan de Napoléon pendant la guerre d'Espagne.
4. **la inteligencia, la gracia y la pedantería francesas :** Borges s'amuse à citer les qualités et défauts que l'on prête volontiers aux Français, notamment dans le monde hispanique.

Fin avril 1854 (tandis qu'Orton suscitait les effusions de l'hospitalité chilienne, aussi généreuse que la dimension de ses patios), le vapeur *Mermaid,* en provenance de Rio de Janeiro et en route vers Liverpool, s'abîma dans les eaux de l'Atlantique. Parmi les victimes se trouvait Roger Charles Tichborne, militaire anglais élevé en France, héritier de l'une des principales familles catholiques d'Angleterre. On a peine à y croire, mais la mort de ce jeune francisé, qui parlait anglais avec le plus élégant accent parisien et provoquait cette incomparable rancune engendrée par l'intelligence, la grâce et la pédanterie françaises, cette mort fut un événement d'une importance extrême dans le destin d'Orton, qui ne l'avait jamais vu. Lady Tichborne, mère horrifiée de Roger, refusa de croire à sa mort et publia des avis inconsolables dans les journaux de plus grande diffusion. Un de ces avis tomba entre les molles mains funéraires du nègre Bogle, qui conçut un plan génial.

---

5. **trascendental :** souvent employé en espagnol pour traduire le français *important.*
6. **rehusó creer :** notez la construction ; le verbe **rehusar** est toujours transitif.
7. **desconsolados avisos :** nouvelle hypallage ; ce sont les *avis* qui sont *inconsolables.*
8. **las blandas manos funerarias :** là encore, Borges joue sur l'emploi des mots ; en effet, en français comme en espagnol, **funerarias** *(funéraires)* s'applique aux objets et non aux personnes. La réunion de ces trois termes confère à l'ensemble un je-ne-sais-quoi de morbide.

LAS VIRTUDES DE LA DISPARIDAD

Tichborne era un esbelto caballero de aire envainado[1], con los rasgos agudos, la tez[2] morena, el pelo negro y lacio, los ojos vivos y la palabra de una precisión ya molesta ; Orton era un palurdo[3] desbordante, de vasto abdomen, rasgos de una infinita vaguedad, cutis[4] que tiraba a[5] pecoso, pelo ensortijado[6] castaño, ojos dormilones y conversación ausente o borrosa. Bogle inventó que el deber de Orton era embarcarse en el primer vapor para Europa y satisfacer la esperanza de Lady Tichborne, declarando ser su hijo. El proyecto era de una insensata ingeniosidad. Busco un fácil ejemplo. Si un impostor en 1914 hubiera[7] pretendido[8] hacerse pasar por el Emperador de Alemania, lo primero que habría[9] falsificado serían los bigotes ascendentes, el brazo muerto, el entrecejo autoritario, la capa gris, el ilustre pecho condecorado y el alto yelmo. Bogle era más sutil : hubiera presentado un kaiser lampiño, ajeno de atributos militares y de águilas honrosas y con el brazo izquierdo en un estado de indudable salud. No precisamos la metáfora ; nos consta que[10] presentó un Tichborne fofo, con sonrisa amable de imbécil, pelo castaño y una inmejorable ignorancia del idioma francés. Bogle sabía que un facsímil[11] perfecto del anhelado[12] Roger Charles Tichborne era de imposible obtención.

---

1. **envainado :** de **vaina,** *fourreau.*
2. **tez :** *teint,* ne s'applique qu'au visage. **Piel,** *peau,* a un sens plus général.
3. **palurdo :** mot familier pour désigner les paysans.
4. **cutis :** est le synonyme exact de **tez.**
5. **tirar a :** *tirer sur ;* remarquez l'emploi de la préposition **a.**
6. **ensortijado :** *tire-bouchonné,* de **sortija** (*boucle de cheveux* ou *bague*).
7. **si un impostor hubiera... :** la condition apparaît comme impossible ou peu probable à réaliser ; on aura donc l'imparfait du subjonctif dans la subordonnée et le conditionnel dans la principale. On peut remplacer **si** + imparfait du subjonctif par **de** + infinitif : **de haber pretendido** un impostor...

Tichborne était un svelte gentilhomme, raide d'allure, aux traits aigus, la peau brune, le cheveu noir et tombant, les yeux vifs et la parole d'une précision déjà mordante ; Orton était un péquenaud aux chairs épanouies, à l'imposante bedaine, avec des traits d'un flou infini, une peau tirant sur le roussâtre, le poil tire-bouchonné et châtain, les yeux endormis et la conversation absente ou pâteuse. Bogle imagina que le devoir d'Orton était d'embarquer sur le premier vapeur à destination de l'Europe et de satisfaire les espérances de Lady Tichborne en déclarant être son fils. Le projet était d'une folle ingéniosité. Je cherche un exemple facile à saisir. Si un imposteur avait voulu se faire passer, en 1914, pour l'empereur d'Allemagne, il aurait d'abord contrefait la moustache en croc, le bras inerte, le sourcil autoritaire, la cape grise, l'illustre poitrine couverte de décorations et le casque altier. Bogle était plus subtil : il aurait présenté un kaiser glabre, étranger aux ornementations militaires et aux aigles honorifiques, et avec le bras gauche jouissant d'une indéniable bonne santé. Nous ne poussons pas plus loin la métaphore ; le fait est qu'il proposa un Tichborne spongieux, avec un aimable sourire de crétin, une chevelure châtain et une ignorance sans égale de la langue française. Bogle connaissait l'impossibilité d'obtenir un fac-similé parfait du tant ardemment désiré Roger Charles Tichborne.

---

8. **pretender** signifie souvent *essayer de, chercher à,* et non pas seulement *prétendre* comme ici.
9. **habría :** le conditionnel de **haber** est inusité ; on emploie généralement à sa place la première forme de l'imparfait du subjonctif : **hubiera.**
10. **nos consta que :** *pour nous, il est certain que ;* **constar de :** *se composer de ;* **constar en :** *figurer ;* **hacer constar :** *faire remarquer, constater.*
11. **facsímil :** facsimile existe également.
12. **anhelado :** participe passé du verbe **anhelar** (*désirer ardemment*).

Sabía también que todas las similitudes logradas no harían otra cosa que destacar ciertas diferencias inevitables. Renunció, pues [1], a todo parecido. Intuyó [2] que la enorme ineptitud de la pretensión sería una convincente prueba de que no se trataba de un fraude [3], que nunca hubiera descubierto de ese modo flagrante los rasgos más sencillos de convicción. No hay que olvidar tampoco la colaboración todopoderosa del tiempo : catorce años de hemisferio austral y de azar [4] pueden cambiar a un hombre.

Otra razón fundamental : los repetidos e [5] insensatos avisos de Lady Tichborne demostraban su plena seguridad de que Roger Charles no había muerto, su voluntad de reconocerlo.

EL ENCUENTRO

Tom Castro, siempre servicial [6], escribió a Lady Tichborne. Para fundar su identidad invocó la prueba fehaciente [7] de dos lunares ubicados en la tetilla izquierda y de aquel [8] episodio de su niñez, tan afligente pero por lo mismo tan memorable, en que lo acometió un enjambre de abejas. La comunicación era breve y a semejanza [9] de Tom Castro y de Bogle, prescindía de escrúpulos ortográficos. En la imponente [10] soledad de un hotel de París, la dama la leyó y la releyó con lágrimas felices y en pocos días encontró [11] los recuerdos que le pedía su hijo.

---

1. la conjonction **pues** a des valeurs différentes selon la place qu'elle occupe dans la phrase ; elle peut être causale *(car)* : no **vengo, pues no puedo** ; introduire une remarque *(eh bien !)* au début d'un dialogue : **pues no me lo digas** ; marquer la fin d'un raisonnement *(donc)*, souvent après le premier membre de la phrase : **vete, pues, cuando quieras.**
2. **intuyó :** passé simple irrégulier du verbe **intuir** (sur le modèle de **huir**).
3. **el fraude** ou la **defraudación** : *la fraude ;* **defraudar** : *frauder, décevoir* (las esperanzas), *trahir* (la amistad).
4. **el azar :** **casualidad** est employé plus couramment, notamment dans la langue parlée.
5. **e** au lieu de **y**, car le mot suivant commence par un i.
6. **servicial :** l'auteur insiste beaucoup sur la faiblesse de

54

Il savait aussi que chaque similitude réussie n'aurait d'autre résultat que de mettre en évidence certaines différences inévitables. Il renonça donc à toute forme de ressemblance. Il subodora que la formidable ineptie de la tentative constituerait une preuve convaincante de l'absence de toute imposture, car il n'aurait jamais souligné de façon si flagrante les plus simples traits à conviction. Il ne faut pas non plus négliger la collaboration toute-puissante du temps : quatorze années d'hémisphère austral et de vicissitudes peuvent vous changer un homme.

Autre raison fondamentale : les messages répétés et insensés de Lady Tichborne démontraient sa certitude absolue de la survie de Roger Charles, sa volonté de le reconnaître.

LES RETROUVAILLES

Tom Castro, toujours serviable, écrivit à Lady Tichborne. Pour établir son identité, il invoqua la preuve formelle de deux grains de beauté situés sur son sein gauche et de cet épisode de son enfance, tellement douloureux mais par là même si mémorable, où il avait été attaqué par un essaim d'abeilles. La communication était brève et dépourvue de scrupules orthographiques, à l'image de Tom Castro et de Bogle. Dans l'imposante solennité d'un hôtel parisien, la dame la lut et la relut avec des larmes de bonheur et retrouva en peu de jours les souvenirs réclamés par son fils.

---

caractère, la docilité de Tom Castro ; c'est en effet le trait qui explique tous ses comportements.
7. **fehaciente :** *qui fait foi ;* **fidedigno :** *digne de foi.*
8. **aquel** prend ici un caractère emphatique.
9. **a semejanza de :** *à l'instar de.* Borges s'amuse encore : la lettre est dépourvue de scrupules orthographiques, comme Tom Castro et Bogle... puisque ce sont eux qui l'ont écrite.
10. **imponente** signifie *imposant,* mais également *sensationnel :* **un coche imponente,** *une voiture sensationnelle.*
11. **encontró :** bel exemple de mémoire sélective ; Lady Tichborne parvient même à se souvenir de ce qui n'a jamais eu lieu.

El 16 de enero de 1867, Roger Charles Tichborne[1] se anunció en ese hotel. Lo precedió su respetuoso sirviente, Ebenezer Bogle. El día de invierno era de muchísimo sol ; los ojos fatigados de Lady Tichborne estaban velados de llanto. El negro abrió de par en par[2] las ventanas. La luz hizo de[3] máscara : la madre reconoció al hijo pródigo y le franqueó su abrazo. Ahora que de veras lo tenía podía prescindir del diario y las cartas que él le mandó desde el Brasil : meros reflejos adorados que habían alimentado su soledad de catorce años lóbregos. Se las devolvía[4] con orgullo[5] : ni una[6] faltaba.

Bogle sonrió con toda discreción : ya tenía dónde[7] documentarse el plácido fantasma de Roger Charles.

AD MAJOREM DEI GLORIAM[8]

Ese reconocimiento dichoso — que parece cumplir una tradición de las tragedias clásicas — debió[9] coronar esta historia, dejando tres felicidades aseguradas o a lo menos probables : la de la madre verdadera, la del hijo apócrifo[10] y tolerante, la del conspirador recompensado por la apoteosis providencial de su industria[11]. El Destino[12] (tal es el nombre que aplicamos a la infinita operación incesante de millares[13] de causas entreveradas) no lo resolvió así.

---

1. **Tichborne :** Tom Castro devient Roger Charles Tichborne dès qu'il franchit les portes de l'hôtel.
2. **de par en par :** notez cette expression *(ouvrir à deux battants, tout grand)* qui vient de **par** *(paire)*.
3. **hacer de :** *jouer le rôle de ;* synonyme : **hacer las veces de.**
4. **se las devolvía :** **le,** pronom personnel c.o.i. se transforme en **se** car il est placé devant le c.o.d. **las.**
5. **orgullo :** a le plus souvent une valeur positive en espagnol ; il s'agit en effet de *fierté* ou d'*orgueil bien placé. Orgueil* se traduira fréquemment par **soberbia** ou **altanería.**
6. **ni una :** notez le sens de **ni,** *pas même ;* cette locution suppose l'ellipse de **siquiera.**
7. **dónde** avec un accent, car c'est un interrogatif indirect.
8. **ad majorem Dei gloriam :** ce titre de paragraphe

Le 16 janvier 1867, Roger Charles Tichborne se fit annoncer à la porte de cet hôtel, précédé de son respectueux serviteur, Ebenezer Bogle. La journée hivernale était inondée de soleil ; les yeux fatigués de Lady Tichborne étaient voilés de pleurs. Le nègre ouvrit en grand les fenêtres. La lumière servit de masque : la mère reconnut l'enfant prodigue et accepta son étreinte. A présent qu'elle l'avait en chair et en os devant elle, elle pouvait se séparer du journal et des lettres qu'il lui avait expédiées du Brésil : de simples reflets adorés, la nourriture de quatorze lugubres années de solitude. Elle les lui restituait le front haut : il n'en manquait pas une.

Bogle eut un sourire d'une absolue discrétion : le placide fantôme de Roger Charles avait désormais matière à se documenter.

AD MAJOREM DEI GLORIAM

Cette heureuse reconnaissance — dans la plus pure tradition des tragédies classiques — aurait dû couronner cette histoire, laissant trois bonheurs assurés ou du moins probables : celui de la mère authentique, celui du fils apocryphe et tolérant, celui du conspirateur récompensé par l'apothéose providentielle de son industrie. Le Destin (tel est le nom que nous donnons au jeu infini et incessant de milliers de causes enchevêtrées) n'en décida pas ainsi.

---

reprend la devise latine des jésuites *(pour la plus grande gloire de Dieu) ;* la suite nous dira pourquoi.
9. **debió :** ce passé simple a une valeur de conditionnel passé *(aurait dû) ;* il en va de même pour l'imparfait de l'indicatif et les verbes **poder** et **haber de.**
10. **el hijo apócrifo :** les écrits seuls sont apocryphes ; l'ironie de l'auteur s'exprime à travers l'emploi impropre de cet adjectif. Notez par ailleurs la transcription phonétique, en espagnol, de ce mot d'origine grecque.
11. **industria :** *industrie,* dans son sens vieilli et littéraire d'*art, habileté.*
12. **el Destino :** remarquez la superbe définition qu'en donne Borges, et l'opposition entre le **D** majuscule et celle-ci.
13. **millares** est un faux ami : *milliers* et non *milliards.*

Lady Tichborne murió en 1870 y los parientes entablaron querella[1] contra Arthur Orton por usurpación de estado civil. Desprovistos de lágrimas y de soledad, pero no de codicia, jamás creyeron en el obeso y casi analfabeto hijo pródigo que resurgió tan intempestivamente de Australia. Orton contaba con[2] el apoyo de los innumerables acreedores que habían determinado que él era Tichborne, para que pudiera pagarles.

Asimismo, contaba con la amistad del abogado de la familia, Edward Hopkins y con la del anticuario Francis J. Baigent. Ello no bastaba, con todo[3]. Bogle pensó que para ganar la partida era imprescindible el favor de una fuerte corriente popular. Requirió[4] el sombrero de copa y el decente paraguas y fue a buscar inspiración por las decorosas calles de Londres. Era el atardecer ; Bogle vagó hasta que una luna del color de la miel[5] se duplicó en el agua[6] rectangular de las fuentes públicas. El dios lo visitó. Bogle chistó[7] a un carruaje y se hizo conducir al departamento del anticuario Baigent. Éste mandó una larga carta al *Times* que aseguraba que el supuesto[8] Tichborne era un descarado[9] impostor. La firmaba el padre Goudron, de la Sociedad de Jesús. Otras denuncias igualmente papistas la sucedieron[10]. Su efecto fue inmediato : las buenas gentes no dejaron de adivinar[11] que Sir Roger Charles era blanco de un complot abominable de los jesuitas[12].

---

1. **entablar querella :** on dit aussi **entablar un pleito** *(entamer un procès)* ; l'espagnol **querella** ne signifie jamais *querelle*, mais *plainte* (au sens juridique).
2. **contar con :** *compter sur, disposer de, se fier à.*
3. **con todo** ou **con todo y con eso :** *malgré tout.*
4. **requirió :** passé simple irrégulier du verbe **requerir.**
5. **la miel :** est féminin en espagnol.
6. **el agua :** bien que le mot soit féminin, car il commence par un **a** accentué.
7. **chistar :** argent. Appeler quelqu'un en utilisant l'interjection **chist** (en Espagne on emploie **chito** ou **chitón**).
8. **supuesto :** participe passé irrégulier du verbe **suponer** *(supposer).*

Lady Tichborne mourut en 1870 et sa famille porta plainte contre Arthur Orton pour usurpation d'état civil. Dépourvue de larmes et de solitude, mais non de cupidité, elle n'avait jamais cru à l'enfant prodigue obèse et presque analphabète, si intempestivement réapparu d'Australie. Orton comptait sur le soutien d'innombrables créanciers qui l'avaient désigné en qualité de Tichborne, pour qu'il pût les rembourser.

Il bénéficiait, de la même façon, de l'amitié de l'avocat de la famille, Edward Hopkins, et de celle de l'antiquaire Francis J. Baigent. C'était malgré tout insuffisant. Bogle pensa qu'ils ne gagneraient la partie qu'à la faveur d'un puissant mouvement populaire. Il demanda son chapeau haut de forme et son bienséant parapluie et parcourut les rues honorables de Londres en quête d'inspiration. Le soir tombait ; Bogle vagabonda jusqu'à ce qu'une lune de miel vînt se refléter dans l'eau rectangulaire des fontaines publiques. Son dieu lui rendit visite. Bogle arrêta un fiacre et se fit conduire à l'appartement de l'antiquaire Baigent. Celui-ci envoya une longue lettre au *Times,* certifiant que le prétendu Tichborne était un imposteur sans vergogne. La missive était signée du père Goudron de la Société de Jésus. Elle fut suivie d'autres dénonciations identiquement papistes. Leur effet fut immédiat : les bonnes gens ne manquèrent pas de deviner que Sir Roger Charles était la cible d'un abominable complot des Jésuites.

---

9. **descarado :** *effronté, insolent,* de **cara** *(visage) ;* **tener cara para :** *avoir l'audace de ;* **dar la cara :** *assumer ses responsabilités, faire face.*

10. **la sucedieron :** cet emploi transitif du verbe **suceder** *(arriver, succéder)* n'est pas admis en Espagne.

11. **no dejaron de** + inf. **:** notez le sens de cette expression *(ne manquèrent pas de).*

12. **jesuitas :** les jésuites, aussi impopulaires en Grande-Bretagne qu'en Amérique latine, sont pris à leur propre piège, et le titre du paragraphe prend ainsi tout son sens.

Ciento noventa días duró el proceso. Alrededor de[1] cien[2] testigos prestaron fe de que el acusado era Tichborne — entre ellos, cuatro compañeros de armas del regimiento seis de dragones. Sus partidarios no cesaban de repetir que no era un impostor, ya que de haberlo sido[3] hubiera[4] procurado[5] remedar los retratos juveniles de su modelo. Además, Lady Tichborne lo había reconocido y es evidente que una madre no se equivoca. Todo iba bien, o más o menos bien, hasta que una antigua querida de Orton compareció ante el tribunal para declarar. Bogle no se inmutó con esa pérfida maniobra de los « parientes » ; requirió galera[6] y paraguas y fue a implorar una tercera iluminación por las decorosas calles de Londres. No sabremos nunca si la encontró. Poco antes de llegar a Primrose Hill lo alcanzó el terrible vehículo que desde el fondo de los años lo perseguía. Bogle lo vio venir, lanzó un grito, pero no atinó con la salvación[7]. Fue proyectado con violencia contra las piedras. Los mareadores cascos del jamelgo[8] le partieron el cráneo[9].

---

1. **alrededor de :** unos aurait été plus courant pour exprimer l'approximation numérique.

2. **ciento :** s'apocope en **cien** car il est placé devant un nom.

3. **de haberlo sido :** équivaut à si lo hubiera sido.

4. **hubiera :** remplace le conditionnel **habría**.

5. le verbe **procurar,** *s'efforcer de* est transitif ou pronominal ; **procurarse algo :** *se procurer quelque chose*.

6. **galera :** argentinisme pour désigner le *chapeau haut de forme*.

7. **no atinó con la salvación :** m. à m. *ne trouva pas le salut*. Notez la construction du verbe **atinar**, avec la préposition **con**. On dira aussi **atinar a** + inf. : *réussir*.

Le procès dura cent quatre-vingt-dix jours. Quelque cent témoins vinrent assurer sous serment que l'accusé était Tichborne — dont quatre camarades d'armes du sixième de dragons. Ses partisans répétaient inlassablement qu'il ne s'agissait pas d'un imposteur : dans le cas contraire, il se serait efforcé de plagier les portraits de jeunesse de son modèle. En outre, Lady Tichborne l'avait reconnu et il va de soi qu'une mère ne se trompe pas. Tout allait bien, ou plutôt bien, avant la comparution devant le tribunal d'une ancienne petite amie d'Orton. Bogle ne se laissa pas décontenancer par cette manœuvre perfide des « parents » ; il demanda son chapeau claque et son parapluie et partit implorer une troisième illumination à travers les rues honorables de Londres. Nous ne saurons jamais s'il l'avait trouvée. Juste avant d'atteindre Primrose Hill, il fut rattrapé par le terrible véhicule qui le poursuivait du fond des âges. Bogle le vit venir, poussa un cri mais ne parvint pas à se sauver. Il fut violemment projeté contre les pavés. Les sabots cahotants de la rosse lui fracassèrent le crâne.

---

8. **jamelgo :** *un mauvais cheval, une rosse,* dans le langage familier.
9. **le partieron el cráneo,** au lieu de **partieron su cráneo ;** comme c'est souvent le cas en espagnol, l'idée de possession est ici exprimée par le pronom personnel.

Tom Castro era el fantasma[1] de Tichborne, pero un pobre fantasma habitado por el genio[2] de Bogle. Cuando le dijeron[3] que éste había muerto se aniquiló. Siguió[4] mintiendo[5], pero con escaso entusiasmo y con disparatadas contradicciones. Era fácil prever[6] el fin.

El 27 de febrero de 1874, Arthur Orton (alias) Tom Castro fue condenado a catorce años de trabajos forzados. En la cárcel se hizo querer ; era su oficio. Su comportamiento ejemplar le valió una rebaja de cuatro años. Cuando esa hospitalidad final lo dejó — la de la prisión — recorrió las aldeas y los centros del Reino Unido, pronunciando pequeñas conferencias en las que declaraba su inocencia o afirmaba su culpa. Su modestia y su anhelo de agradar eran tan[7] duraderos que muchas noches comenzó por defensa y acabó por[8] confesión, siempre al servicio de las inclinaciones del público.

El 2 de abril de 1898 murió.

---

1. **fantasma :** signifie *fantôme* ou *fantasme,* au masculin, mais la fantasma : *l'épouvantail.*

2. **genio :** *le génie* et, plus souvent, *le caractère ;* **tener (mal) genio :** *avoir mauvais caractère.*

3. **le dijeron :** cette troisième personne du pluriel traduit le sujet impersonnel *on.*

4. **siguió :** passé simple irrégulier de **seguir**. Seguir + gérondif : *continuer à* + infinitif.

5. **mintiendo :** gérondif irrégulier de **mentir**. Ce verbe se conjugue comme **sentir** (miento, mentía, mentí, mintió, mienta, mintiera, mintiendo).

6. **era fácil prever :** pas de préposition **de** entre **fácil** et **prever.**

7. **tanto** s'apocope en **tan** devant un adjectif, un participe passé ou un adverbe. Dans ce cas, il s'agit d'un adjectif.

8. **acabar por :** *finir par ;* **acabar de :** *venir de* (pour rapporter une action à peine terminée).

Tom Castro était le fantôme de Tichborne, mais un pauvre fantôme habité par le génie de Bogle. Lorsqu'on lui annonça la mort de ce dernier, il s'effondra. Il continua à mentir, mais avec un enthousiasme réduit et d'extravagantes contradictions. La fin était facile à prévoir.

Le 27 février 1874, Arthur Orton (alias Tom Castro) était condamné à quatorze années de travaux forcés. En prison il se fit aimer ; c'était son métier. Son comportement exemplaire lui valut une remise de quatre ans. Quand cette hospitalité finale s'acheva — celle de la geôle —, il parcourut les villages et les cités du Royaume-Uni, prononçant de petites conférences où il se déclarait innocent ou avouait sa culpabilité. Sa modestie et son désir de plaire étaient si tenaces qu'il lui arriva de nombreux soirs de commencer par se défendre et de finir en se confessant, toujours respectueux des inclinations du public.

Il mourut le 2 avril 1898.

Révisions

Vous avez rencontré dans cette histoire l'équivalent des expressions françaises suivantes.
Vous en souvenez-vous ?

1. On l'a connu sous ce nom.
2. Il fuit son misérable faubourg.
3. C'était un homme d'une sottise paisible.
4. Après l'avoir longuement regardé, il lui offrit son bras.
5. Ils lurent tous les deux un communiqué dans un journal local.
6. Le *Mermaid*, en provenance de Rio et en route vers l'Angleterre.
7. Sa mère se refusa à croire à sa mort.
8. Le fait est qu'il présenta un personnage différent.
9. Il ne faut pas non plus oublier la collaboration toute-puissante du temps.
10. Pour prouver son identité, il invoqua une preuve formelle.
11. Elle les lui rendait avec fierté : pas une ne manquait.
12. Il comptait sur le soutien d'innombrables créanciers.
13. Les gens ne manquèrent pas de deviner qu'il s'agissait d'un complot.
14. Peu avant d'arriver, il fut rattrapé par un fiacre.

1. Lo conocieron bajo ese nombre.
2. Huyó de su deplorable suburbio.
3. Era un hombre de una sosegada idiotez.
4. Al rato largo de mirarlo, le ofreció el brazo.
5. Ambos leyeron un aviso en un diario local.
6. El *Mermaid*, procedente de Río y con rumbo a Inglaterra.
7. Su madre rehusó creer en su muerte.
8. Nos consta que presentó un personaje diferente.
9. No hay que olvidar tampoco la colaboración todopoderosa del tiempo.
10. Para fundar su identidad, invocó una prueba fehaciente.
11. Se las devolvía con orgullo : ni una faltaba.
12. Contaba con el apoyo de innumerables acreedores.
13. La gente no dejó de adivinar que se trataba de un complot.
14. Poco antes de llegar, lo alcanzó un carruaje.

La viuda Ching, pirata

La veuve Ching, pirate

La palabra *corsarias* corre el albur[1] de despertar un recuerdo que es vagamente incómodo : el de una ya descolorida zarzuela[2], con sus teorías de evidentes mucamas[3], que hacían de[4] piratas coreográficas en mares de notable[5] cartón. Sin embargo, ha habido corsarias : mujeres hábiles en la maniobra marinera, en el gobierno de tripulaciones bestiales y en la persecución[6] y saqueo de naves de alto bordo. Una de ellas fue Mary Read, que declaró una vez que la profesión de pirata no era para cualquiera, y que, para ejercerla con dignidad, era preciso ser un hombre de coraje, como ella. En los charros[7] principios de su carrera, cuando no era aún[8] capitana, uno de sus amantes fue injuriado por el matón de a bordo. Mary lo retó a duelo[9] y se batió con él a dos manos, según la antigua usanza de las islas del Mar Caribe : el profundo y precario pistolón[10] en la mano izquierda, el sable fiel en la derecha. El pistolón falló, pero la espada se portó como buena[11]... Hacia 1720 la arriesgada carrera de Mary Read fue interrumpida por una horca española, en Santiago de la Vega (Jamaica).

Otra pirata de esos mares fue Anne Bonney, que era una irlandesa resplandeciente, de senos altos y de pelo fogoso, que más de una vez arriesgó su cuerpo en el abordaje de naves. Fue compañera de armas de Mary Read, y finalmente de horca.

---

1. **el albur :** *le hasard, le coup de hasard ;* **jugar** ou **correr el albur :** *jouer sa chance, risquer.*
2. **zarzuela :** sorte d'opérette, parlée et chantée, très en vogue en Espagne au début du siècle. *Las corsarias* est l'une d'entre elles, et l'une de plus célèbres.
3. **mucamas :** mot d'origine africaine désignant la *bonne* en Amérique latine.
4. **hacer de** ou **hacer las veces de :** *être en qualité de, jouer le rôle de.*
5. **notable :** signifie généralement *remarquable* (digne d'être remarqué) ; ici, le carton manque tout simplement de discrétion. Cet emploi légèrement décalé marque déjà l'ironie de l'auteur, sa distance par rapport au texte.
6. **persecución :** du verbe **perseguir,** *poursuivre.*
7. **charros :** à l'origine, les paysans de la région de

Le mot corsaire, au féminin, risque de réveiller un souvenir vaguement importun : celui d'une *zarzuela* à présent défraîchie, avec ses théories de flagrantes soubrettes jouant les pirates chorégraphiques sur une mer d'un carton manifeste. Les corsaires femmes ont néanmoins existé : habiles à la manœuvre marinière, au commandement d'équipages bestiaux et à la chasse et au pillage des nefs de haut bord. Marie Read fut l'une d'entre elles, qui déclara un jour que la profession de pirate n'était pas destinée à n'importe qui et qu'il fallait, pour l'exercer dignement, être un homme courageux, comme elle. Dans les rudes débuts de sa carrière, alors qu'elle n'était pas encore capitaine, un de ses amants fut injurié par le fier-à-bras du navire. Mary le défia et se battit contre lui à deux mains, selon l'ancienne coutume des îles des Caraïbes : le profond et aléatoire pistolet dans la main gauche, le sabre fidèle dans la droite. Le pistolet manqua son coup, mais l'épée tint ses promesses... Vers 1720, la carrière hasardeuse de Mary Read fut interrompue par un gibet espagnol, à Santiago de la Vega (Jamaïque).

Anne Bonney fut une autre écumeuse de ces mers, une Irlandaise resplendissante, aux seins arrogants et à la chevelure flamboyante, qui plus d'une fois risqua son corps dans l'abordage des navires. Elle fut compagnon d'armes de Mary Read et l'accompagna jusqu'à la potence.

Salamanque ; par extension et comme adjectif : *rustique, rude.* Au Mexique, le cavalier revêtu de l'habit traditionnel : chapeau à large bord, gilet brodé, jambières de cuir, bottes et éperons en argent.

8. **aún :** est accentué car il signifie *encore.*

9. **lo retó a duelo :** m. à m. *provoquer en duel.*

10. **el profundo y precario pistolón :** pistolón est un augmentatif de **pistola** (avec le suffixe -ón) ; **profundo** fait allusion à la longueur du canon, et **precario** à son fonctionnement incertain.

11. **el sable fiel... la espada se portó como buena :** l'arme blanche est personnalisée, presque indépendante de celui qui l'utilise. Attention à la traduction de *fidèle* (fiel) et à la valeur du verbe **portarse** : *se comporter.*

Su amante, el capitán John Rackam, tuvo también su nudo corredizo[1] en esa función[2]. Anne, despectiva, dio con[3] esta áspera variante de la reconvención de Aixa a Boabdil[4] : « Si te hubieras batido como un hombre no te ahorcarían como a un perro. »

Otra, más venturosa y longeva, fue una pirata que operó en las aguas del Asia, desde el Mar Amarillo hasta[5] los ríos de la frontera del Annam. Hablo de la aguerrida viuda de Ching.

LOS AÑOS DE APRENDIZAJE

Hacia 1797, los accionistas de las muchas escuadras piráticas de ese mar fundaron un consorcio y nombraron almirante a un tal Ching[6], hombre justiciero y probado. Éste fue tan severo y ejemplar[7] en el saqueo de las costas que los habitantes despavoridos imploraron con dádivas y lágrimas el socorro imperial. Su lastimosa petición no fue desoída[8] : recibieron la orden de poner fuego a sus aldeas, de olvidar sus quehaceres de pesquería, de emigrar tierra adentro[9] y aprender una ciencia desconocida llamada agricultura. Así lo hicieron, y los frustrados invasores no hallaron sino costas desiertas. Tuvieron que entregarse, por consiguiente, al asalto de naves : depredación aún más nociva que la anterior, pues molestaba seriamente al comercio.

---

1. **corredizo** : du verbe **correr**, dans le sens de *déplacer, tirer* (un rideau), *glisser*.
2. **función** : *spectacle, fête religieuse ;* ici Anne Bonney et John Rackam se seraient bien passés d'y tenir la vedette.
3. **dio con** : notez cette valeur du verbe **dar** avec la préposition **con** : *trouver par hasard.*
4. **Boabdil** : dernier roi maure de Grenade, chassé de sa ville par les Rois Catholiques en 1492. Du haut d'une colline — baptisée depuis « **El suspiro del moro** » *(Le soupir du Maure)* — il contemplait Grenade en pleurant lorsque sa mère, Aixa, lui aurait dit : « Pleure comme une femme le trône que tu n'as su défendre en homme. »
5. **desde... hasta** : cette locution souligne à la fois le point d'origine et le point d'aboutissement.
6. **un tal Ching** : l'omission de l'article indéfini est obligatoire, en espagnol, devant **tal, otro, cierto**, etc., car ces

Son amant, le capitaine John Rackam, eut également droit à son propre nœud coulant, lors de la même séance. Anne, méprisante, trouva cette féroce variante du reproche d'Aixa à Boabdil : « Si tu t'étais battu comme un homme, on ne te pendrait pas comme un chien. »

Une autre femme pirate, plus chanceuse et moins éphémère, opéra dans les eaux d'Asie, depuis la mer Jaune jusqu'aux fleuves de la frontière annamite. Je veux parler de l'aguerrie veuve Ching.

LES ANNÉES D'APPRENTISSAGE

Vers 1797, les actionnaires des nombreuses escadres de pirates de cette mer fondèrent un consortium et en nommèrent amiral un certain Ching, homme équitable et expérimenté. Celui-ci se montra tellement sévère et exemplaire dans le pillage des côtes que leurs habitants, épouvantés, imploraient, avec force dons et larmes, le secours impérial. Leur pitoyable requête ne fut pas vaine : ils reçurent l'ordre de mettre le feu à leurs villages, d'oublier leurs tâches de pêcheur, d'émigrer vers les terres de l'intérieur et d'y apprendre une science inconnue appelée agriculture. Ils obtempérèrent et les envahisseurs frustrés, ne trouvant que des côtes désertes, durent donc se livrer à l'assaut des navires : déprédation encore plus nuisible que la précédente, car elle entravait gravement le commerce.

---

mots apportent une détermination suffisante ; néanmoins (comme ici), on peut trouver **un tal** devant un nom propre avec le sens de *un dénommé, un certain.*

7. **éste fue tan severo y ejemplar** : le verbe **ser,** car les deux adjectifs attributs se réfèrent à des qualités morales. Notez l'humour noir de Borges : le pirate pille les côtes de façon exemplaire.

8. **desoir :** formé à l'aide du préfixe privatif **de-** et du verbe **oir,** et se conjuguant donc comme celui-ci.

9. **emigrar tierra adentro :** les adverbes **arriba, abajo, adentro, afuera, adelante, atrás** peuvent être placés après un nom de lieu pour indiquer la direction d'un mouvement ; par ex. : **ir calle arriba,** *remonter la rue.* Par ailleurs, l'ironie de Borges se manifeste de nouveau : le puissant empereur écoute ses sujets... et les expédie à l'intérieur des terres.

El gobierno imperial no vaciló [1] y ordenó a los antiguos pescadores el abandono del arado y la yunta y la restauración de remos y redes. Éstos se amotinaron, fieles al antiguo temor, y las autoridades resolvieron otra conducta : nombrar al almirante Ching, jefe de los Establos Imperiales. Éste iba a aceptar el soborno [2]. Los accionistas lo supieron [3] a tiempo, y su virtuosa indignación [4] se manifestó en un plato de orugas envenenadas, cocidas con arroz. La golosina fue fatal : el antiguo almirante y jefe novel de los Establos Imperiales entregó su alma a las divinidades del mar. La viuda, transfigurada por la doble traición, congregó a los piratas, les reveló el enredado caso y los instó a [5] rehusar la clemencia falaz del Emperador y el ingrato servicio de los accionistas de afición envenenadora [6]. Les propuso el abordaje por cuenta propia y la votación de un nuevo almirante. La elegida fue ella. Era una mujer sarmentosa [7], de ojos dormidos [8] y sonrisa cariada. El pelo renegrido y aceitado tenía más esplendor que los ojos.

A sus tranquilas órdenes, las naves se lanzaron al peligro y al alto mar.

---

1. **vaciló :** le sens figuré, *hésiter, chanceler,* est le plus fréquent.
2. **soborno :** du verbe **sobornar** *(soudoyer, suborner).*
3. **supieron :** passé simple irrégulier de **saber.**
4. **virtuosa indignación :** l'auteur s'amuse à prendre le contre-pied des valeurs traditionnelles ; les pirates sont de respectables actionnaires, une nomination officielle de la part de l'empereur n'est qu'un pot-de-vin, l'accepter constitue une trahison et les pirates manifestent à juste titre une vertueuse indignation ; quant à l'empereur, il est incapable de maîtriser la situation. Au-delà de l'humour, Borges montre ainsi la totale décomposition du pouvoir légal.
5. **instar a uno** ou **instar a (para) que** + subj. : *prier instamment, insister.*

Le gouvernement impérial n'hésita pas : il ordonna aux anciens pêcheurs l'abandon de la charrue et de la paire de bœufs et la remise en état des rames et des filets. Fidèles à leur ancienne terreur, les paysans se mutinèrent ; les autorités optèrent pour une autre conduite : nommer l'amiral Ching chef des Étables Impériales. Ce dernier allait accepter le pot-de-vin. Les actionnaires l'apprirent à temps et leur vertueuse indignation se manifesta sous la forme d'un plat de chenilles empoisonnées, cuites avec du riz. Le mets fut fatal : l'ancien amiral et tout nouveau chef des Étables Impériales rendit son âme aux divinités de la mer. La veuve, transfigurée par cette double trahison, rassembla les pirates, leur révéla les méandres de l'affaire et les poussa à refuser la fallacieuse clémence de l'empereur ainsi que l'ingratitude des actionnaires amateurs de poison. Elle leur proposa l'abordage pour leur propre compte et l'élection d'un nouvel amiral. Ce fut elle qui fut choisie. C'était une femme noueuse, aux yeux mi-clos et au sourire carié. Le cheveu d'un noir de jais et huilé avait plus d'éclat que les yeux.

Placés sous ses ordres paisibles, les navires se lancèrent vers le danger et la haute mer.

---

6. **de afición envenenadora** : m. à m. *au zèle empoisonneur.*
7. **sarmentosa** : de sarmiento, *sarment.*
8. **de ojos dormidos** : la préposition **de** introduit un complément de nom décrivant une caractéristique essentielle ; en revanche, la préposition **con** ne présenterait qu'un aspect passager : **un hombre con sombrero de copa,** *un homme avec un chapeau haut de forme.*

Trece años de metódica aventura se sucedieron. Seis escuadrillas integraban [1] la armada, bajo banderas de diverso color : la roja, la amarilla, la verde, la negra, la morada y la de la serpiente, que era la de la nave capitana. Los jefes se llamaban Pájaro y Piedra, Castigo del Agua de la Mañana, Joya de la Tripulación, Ola con Muchos Peces y Sol Alto. El reglamento, redactado por la viuda Ching en persona, es de una inapelable [2] severidad, y su estilo justo y lacónico prescinde [3] de las desfallecidas flores retóricas que prestan una majestad más bien irrisoria a la manera china oficial, de la que ofreceremos después algunos alarmantes ejemplos. Copio algunos artículos :

« *Todos los bienes transbordados de naves enemigas pasarán* [4] *a un depósito y serán allí registrados. Una quinta parte de lo aportado por cada pirata le será entregada después ; el resto quedará en el depósito. La violación de esta ordenanza es la muerte.*

La pena del pirata que hubiere [5] *abandonado su puesto sin permiso especial será la perforación pública de sus orejas. La reincidencia en esta falta es la muerte.*

El comercio [6] *con las mujeres arrebatadas en las aldeas queda* [7] *prohibido sobre cubierta ; deberá limitarse a la bodega* [8] *y nunca sin el permiso del sobrecargo* [9]*. La violación de esta ordenanza es la muerte.* »

---

1. notez la valeur la plus courante du verbe **integrar** : *composer, constituer, former.*
2. **inapelable :** à partir du verbe **apelar,** *faire appel d'un jugement, introduire un recours devant les tribunaux.*
3. **prescindir de :** m. à m. *faire abstraction de, se passer de.*
4. **pasarán :** les textes juridiques espagnols (loi, constitution, contrat) emploient souvent le futur de l'indicatif avec une valeur d'ordre ou de condition à laquelle doit se soumettre le citoyen ou le signataire.
5. **hubiere :** futur du subjonctif du verbe **haber.** Ce temps servait à marquer une simple éventualité, dans une proposition subordonnée ou relative, et a disparu depuis deux siècles de la langue courante. Il est remplacé aujourd'hui

Treize années d'aventure méthodique se succédèrent. La flotte était composée de six escadrilles : cinq sous des drapeaux de couleurs différentes : jaune, rouge, vert, noir, violet, et celle du serpent, à laquelle appartenait le navire amiral. Les chefs s'appelaient Oiseau et Pierre, Châtiment des eaux du matin, Joyau de l'Équipage, Vague Pleine de Poissons et Soleil Haut. Le règlement, rédigé par la veuve Ching en personne, est d'une sévérité sans appel, et son style précis et laconique écarte les défuntes fleurs rhétoriques ornant d'une majesté plutôt dérisoire la manière chinoise officielle, dont nous fournirons par la suite quelques exemples alarmants. Je recopie certains articles :

« *Tous les biens pris aux navires ennemis seront transportés dans un dépôt et y seront enregistrés. Le cinquième de ce qui aura été apporté par chaque pirate lui sera remis ensuite ; le surplus restera entreposé. La violation de cette ordonnance entraîne la mort.*

La peine encourue par le pirate qui aurait abandonné son poste sans autorisation spéciale sera la perforation publique de ses oreilles. En cas de récidive, la peine de mort sera appliquée.

Le commerce avec les femmes arrachées à leurs villages est interdit sur le pont ; il devra se limiter à la soute et jamais sans l'autorisation du subrécargue. La violation de cette ordonnance entraîne la mort. »

---

par le présent du subjonctif, mais on le retrouve chez certains auteurs (dans un registre soutenu ou pour des tournures volontairement archaïsantes), dans des expressions toutes faites (**sea lo que fuere** : *quoi qu'il en soit*) et dans le formulaire juridique, aussi « moderne » en espagnol qu'en français.

6. **comercio** a ici le sens ancien ou littéraire de *relation*, que l'on retrouve dans le mot français *commerce*.

7. **queda** est semi-auxiliaire et remplace **estar**.

8. **la bodega** est la *cale du navire ;* dans une maison, *cave à vin* se traduit également par **bodega** et *sous-sol* par **sótano.**

9. le mot français correspondant, *subrécargue*, vient précisément de l'espagnol **sobrecargo,** *en surcharge ;* il s'agit d'une personne extérieure à l'équipage du navire et veillant sur la cargaison.

Informes suministrados por prisioneros aseguran que el rancho[1] de esos piratas consistía principalmente en galleta, en obesas ratas cebadas y arroz cocido, y que, en los días de combate, solían mezclar pólvora con su alcohol. Naipes y dados fraudulentos[2], la copa y el rectángulo del « fantan », la visionaria pipa del opio[3] y la lamparita[4] distraían las horas. Dos espadas de empleo simultáneo eran las armas preferidas. Antes del abordaje, se rociaban[5] los pómulos y el cuerpo con una infusión de ajo ; seguro talismán contra las ofensas de las bocas de fuego.

La tripulación[6] viajaba con sus mujeres, pero el capitán con su harem, que era de cinco o seis, y que solían renovar las victorias.

HABLA KIA-KING, EL JOVEN EMPERADOR

A mediados de 1809 se promulgó un edicto imperial, del que traslado la primera parte y la última. Muchos criticaron su estilo :

« *Hombres desventurados y dañinos, hombres que pisan el pan, hombres que desatienden el clamor de los cobradores de impuestos y de los huérfanos[7], hombres en cuya ropa interior están figurados[8] el fénix y el dragón, hombres que niegan[9] la verdad de los libros impresos[10], hombres que dejan que sus lágrimas corran mirando el norte, molestan la ventura de nuestros ríos y la antigua confianza de nuestros mares.*

---

1. **rancho :** désigne ici *la nourriture* du soldat ou du marin. Ce mot a deux sens très fréquents en Amérique du Sud : *la petite maison modeste,* à la campagne ou à la lisière des grandes villes, et *le chapeau de paille* (d'abord dans l'argot de Buenos Aires, puis dans toute l'Argentine).
2. **fraudulento :** *frauduleux,* de **el fraude,** *la fraude.*
3. **la visionaria pipa del opio :** procédé très borgésien et déjà rencontré, consistant à attribuer à un certain mot d'une phrase ce qui convient à un autre. L'auteur marque ainsi sa distance par rapport au récit.
4. *la lanterne magique,* **lamparita,** permet de projeter sur un écran des images peintes sur verre.
5. **rociarse :** de rocío, *rosée.*

Des informations fournies par des prisonniers assurent que l'ordinaire de ces pirates consistait pour l'essentiel en biscuits, rats gavés et gras et riz cuit, et que les jours de combat ils avaient l'habitude de mélanger de la poudre à leur alcool. Cartes à jouer et dés pipés, la coupe et le rectangle du « fan-tan », la visionnaire pipe d'opium et la lanterne magique égayaient les heures. Leurs armes préférées étaient deux épées employées simultanément. Avant l'abordage, ils s'aspergeaient les pommettes et le corps d'une infusion d'ail ; infaillible talisman contre les outrages des bouches à feu.

L'équipage voyageait avec ses femmes et le capitaine avec son harem, cinq ou six généralement renouvelées par les victoires.

KIA-KING, LE JEUNE EMPEREUR, PARLE

Au milieu de 1809, un édit impérial fut promulgué, dont je reproduis la première partie et la dernière. Beaucoup en critiquèrent le style :

« *Des hommes misérables et nuisibles, des hommes qui foulent le pain, des hommes qui font la sourde oreille aux clameurs des collecteurs d'impôts et des orphelins, des hommes dont les vêtements intimes portent le phénix et le dragon, des hommes qui réfutent la vérité des livres imprimés, des hommes qui laissent couler leurs larmes les yeux tournés vers le nord, perturbent la félicité de nos fleuves et l'ancienne sécurité de nos mers.*

---

6. **tripulación** : *équipage ;* equipaje existe également avec le même sens, mais est exclusivement réservé au vocabulaire maritime et très peu utilisé. Sa traduction la plus courante est *bagages*.

7. **los cobradores de impuestos y los huérfanos** : ce qui chagrine l'empereur, c'est bien sûr le manque de respect pour les premiers.

8. **en cuya ropa... están figurados** : cuyo peut être précédé d'une préposition, commandée par le verbe ; par ex. : **la montaña por cuyo puerto pasamos** : *la montagne dont nous franchissons le col.*

9. **niegan** : de **negar** ; le verbe **negar** a une irrégularité de diphtongaison.

10. **impresos** : participe passé irrégulier de **imprimir**.

En barcos averiados y deleznables[1] *afrontan noche y día la tempestad. Su objeto no es benévolo*[2] *: no son ni fueron nunca los verdaderos amigos del navegante. Lejos de prestarle su ayuda, lo acometen con ferocísimo impulso y lo convidan a la ruina, a la mutilación o a la muerte. Violan así las leyes naturales del Universo, de suerte*[3] *que los ríos se desbordan, las riberas se anegan, los hijos se vuelven contra los padres y los principios de humedad y sequía son alterados...*

... Por consiguiente te encomiendo[4] *el castigo, Almirante Kvo-Lang. No pongas*[5] *en olvido que la clemencia es un atributo imperial y que sería presunción en un súbdito intentar asumirla. Sé cruel*[6]*, sé justo, sé obedecido, sé victorioso. »*

La referencia incidental a las embarcaciones averiadas era, naturalmente, falsa. Su fin era levantar el coraje de la expedición de Kvo-Lang. Noventa días después, las fuerzas de la viuda Ching se enfrentaron con[7] las del Imperio Central. Casi mil naves combatieron de sol a sol. Un coro mixto de campanas, de tambores, de cañonazos[8], de imprecaciones, de gongs y de profecías, acompañó la acción. Las fuerzas del Imperio fueron deshechas[9]. Ni el prohibido perdón ni la recomendada crueldad tuvieron ocasión de ejercerse. Kvo-Lang observó un rito que nuestros generales derrotados optan por[10] omitir : el suicidio.

---

1. **deleznable :** *fragile*, peut également se traduire par *horrible, affreux.*
2. **benévolo :** *bienveillant* ; *une activité bénévole* (à titre gratuit) : **una actividad gratuita, espontánea.**
3. **de suerte que :** *en sorte que ;* synonymes : **de modo que, de tal modo que, de manera que.**
4. **encomiendo :** du verbe **encomendar,** *charger, recommander, confier.*
5. **no pongas :** impératif négatif du verbe **poner** ; les impératifs négatifs se forment en plaçant la négation **no** devant le subjonctif présent. La forme correspondante de l'impératif affirmatif aurait été **pon.**
6. **sé cruel :** le verbe **ser,** car l'adjectif exprime une qualité morale de l'individu. L'accent, grammatical, sert à la différencier de son homographe, le pronom personnel **se.**

Sur des bateaux avariés et fragiles, ils bravent nuit et jour la tempête. Leurs intentions ne sont pas bienveillantes : ils ne sont pas et n'ont jamais été les véritables amis du navigateur. Bien loin de lui prêter main-forte, ils l'assaillent avec une sauvage violence et le mènent à la ruine, à la mutilation ou à la mort. Ils violent ainsi les lois naturelles de l'Univers, de sorte que les rivières débordent, les berges sont inondées, les fils se retournent contre les pères et les principes d'humidité et de sécheresse sont altérés...

... Par conséquent, je te recommande le châtiment, Amiral Kvo-Lang. N'oublie jamais que la clémence est un privilège impérial et que ce serait présomption, chez un sujet, que de vouloir l'assumer. Sois cruel, sois juste, sois obéi, sois victorieux. »

La référence accessoire aux embarcations avariées était, bien entendu, fausse. Elle avait pour but de ranimer le courage de l'expédition de Kvo-Lang. Quatre-vingt-dix jours plus tard, les forces de la veuve Ching affrontèrent celles de l'Empire du Milieu. Près de mille navires combattirent du lever au coucher du soleil. Un chœur mélangé de cloches, de tambours, de coups de canon, d'imprécations, de gongs et de prophéties accompagna la bataille. Les forces de l'Empire du Milieu furent anéanties. Le pardon interdit n'eut pas plus l'occasion de s'exercer que la cruauté recommandée. Kvo-Lang observa un rite que nos généraux vaincus choisissent d'omettre : le suicide.

Dans un autre contexte, **sé** aurait pu être la première personne de l'indicatif du verbe **saber** : *je sais*.

7. **enfrentarse con** : la préposition **a** est également possible : **se enfrentó al enemigo** : *il a affronté l'ennemi*.

8. **cañonazos** : formé à partir de **cañon** (canon) et du suffixe **-azo** (coup de).

9. **deshechas** : participe passé irrégulier du verbe **deshacer**.

10. le verbe **optar,** *opter pour*, admet aussi la préposition **a** ; **optar entre dos soluciones** : *choisir entre deux solutions*.

Entonces los seiscientos juncos de guerra y los cuarenta mil piratas victoriosos de la Viuda soberbia remontaron las bocas del Si-Kiang, multiplicando incendios y fiestas espantosas y huérfanos a babor y estribor. Hubo aldeas enteras arrasadas. En una sola de ellas, la cifra de los prisioneros pasó de [1] mil. Ciento [2] veinte mujeres que solicitaron el confuso amparo de los juncales y arrozales [3] vecinos fueron denunciadas por el incontenible llanto de un niño y vendidas luego en Macao. Aunque [4] lejanas, las miserables lágrimas y lutos de esa depredación llegaron a noticias [5] de Kia-King, el Hijo del Cielo. Ciertos historiadores pretenden que le dolieron [6] menos que el desastre de su expedición punitiva. Lo cierto es que organizó una segunda, terrible en [7] estandartes, en marineros, en soldados, en pertrechos de guerra, en provisiones, en augures y astrólogos. El comando recayó esta vez en Ting-Kvei. Esa pesada muchedumbre de naves remontó el delta del Si-Kiang y cerró el paso de la escuadra pirática. La Viuda se aprestó para la batalla. La sabía difícil, muy difícil, casi desesperada ; noches y meses de saqueo y de ocio habían aflojado a sus hombres. La batalla nunca empezaba. Sin apuro el sol se levantaba y se ponía [8] sobre las cañas trémulas. Los hombres y las armas velaban. Los mediodías eran más poderosos, las siestas infinitas [9].

---

1. **pasar de :** *dépasser ;* **pasar a otra cosa :** *passer à autre chose ;* **pasar por tonto :** *passer pour un idiot ;* **pasar por alto :** *passer sous silence, omettre ;* **pasar sin vino :** *se passer de vin ;* ¿ **qué pasa ?** : *qu'arrive-t-il ?*
2. **ciento :** ne s'apocope pas en **cien** s'il est suivi d'un autre numéral que **mil** ou **millones**.
3. **juncales y arrozales :** formés à partir de **junco** *(jonc)* et **arroz** *(riz)* auxquels on a rajouté le suffixe -al (terrain où poussent des plantes semblables).
4. si **aunque** est suivi d'un verbe, on emploie l'indicatif quand le fait introduit est réel (en français, *bien que* + subj.) et le subjonctif si ce fait est hypothétique (en français, *même si* + ind.).

Alors les six cents jonques de guerre et les quarante mille pirates victorieux de la Veuve arrogante remontèrent l'embouchure du Si-Kiang, multipliant incendies, fêtes effroyables et orphelins à bâbord et à tribord. Il y eut des villages entiers rasés. Dans un seul d'entre eux, le chiffre des prisonniers fut supérieur à mille. Cent vingt femmes qui sollicitaient la protection enchevêtrée des rizières et jonchaies voisines furent dénoncées par les pleurs irrépressibles d'un enfant et vendues ensuite à Macao. Bien que lointaines, les misérables larmes et les deuils engendrés par ces déprédations parvinrent aux oreilles de Kia-King, le Fils du Ciel. Certains historiens prétendent qu'il en souffrit moins que du désastre de son expédition punitive. En tout cas il en organisa une seconde, formidable en étendards, marins, soldats, engins de guerre, provisions, augures et astrologues. Le commandement échut cette fois-ci à Ting-Kvei. Cette lourde multitude de navires remonta le delta du Si-Kiang et barra le passage à l'escadre des pirates. La Veuve prit ses dispositions pour la bataille. Elle la savait difficile, très difficile, presque désespérée ; des nuits et des mois de pillage et d'oisiveté avaient ramolli ses hommes. Le combat ne commençait jamais. Le soleil se levait et se couchait sans hâte sur les roseaux frissonnants. Hommes et armes veillaient. Les midis étaient plus puissants, les siestes infinies.

---

5. **llegaron a noticias de :** m. à m. *vinrent à la connaissance de.*
6. **le dolieron :** se construit comme **gustar : le,** pronom personnel c.o.i. représente l'empereur, le sujet sous-entendu étant **lágrimas y lutos.**
7. **terrible en :** par dérision, l'auteur met sur le même plan le matériel de guerre, les soldats, et les astrologues ou les bannières.
8. **el sol se ponía :** à partir de ce même verbe **poner :** la puesta del sol *(le coucher du soleil).*
9. **infinitas :** Borges décrit en deux ou trois phrases le calme avant la tempête ; notez la puissance d'évocation et l'économie de moyens.

Sin embargo, altas bandadas[1] perezosas de livianos[2] dragones surgían cada atardecer de las naves de la escuadra imperial y se posaban con delicadeza en el agua y en las cubiertas enemigas. Eran aéreas construcciones de papel y de caña, a modo[3] de cometas[4], y su plateada o roja superficie repetía idénticos caracteres. La Viuda examinó con ansiedad esos regulares meteoros[5] y leyó en ellos la lenta y confusa fábula de un dragón, que siempre había protegido a una zorra, a pesar de sus largas ingratitudes y constantes delitos. Se adelgazó la luna en el cielo y las figuras de papel y de caña traían cada tarde la misma historia, con casi imperceptibles variantes. La Viuda se afligía y pensaba. Cuando la luna se llenó en el cielo y en el agua rojiza, la historia pareció tocar a su fin. Nadie[6] podía predecir[7] si un ilimitado perdón o si un ilimitado castigo se abatirían sobre la zorra, pero el inevitable fin[8] se acercaba. La Viuda comprendió. Arrojó sus dos espadas al río, se arrodilló en un bote y ordenó que la condujeran[9] hasta la nave del comando imperial.

Era el atardecer ; el cielo estaba lleno de dragones, esta vez amarillos. La Viuda murmuraba una frase. « La zorra busca el ala del dragón », dijo al subir[10] a bordo.

---

1. **bandada,** formé à partir de **banda** et du suffixe collectif -ada.
2. **liviano :** fréquemment utilisé au sens figuré (inconstant, superficiel, frivole).
3. **a modo de :** en guise de, à la manière de.
4. **cometa** change de sens selon le genre ; **el cometa :** la comète ; **la cometa :** le cerf-volant.
5. **meteoros :** météores, c'est-à-dire tout phénomène se produisant dans l'atmosphère.
6. **nadie** se suffit à lui-même puisqu'il précède le verbe.
7. **predecir** est formé à partir du verbe **decir** et se conjugue donc comme celui-ci : attention à ses nombreuses irrégularités (digo, diga, di, diré, diría, dije, dijera, dicho, diciendo).
8. **el inevitable fin :** la répétition du mot **fin** en souligne le caractère fatal.

Cependant, de hautes nuées paresseuses de légers dragons surgissaient chaque soir des nefs de l'escadre impériale et allaient se poser délicatement sur l'eau et les ponts ennemis. C'étaient d'aériennes constructions en papier et roseau, des espèces de cerfs-volants, et leur surface argentée ou rouge reproduisait des caractères identiques. La Veuve examina avec anxiété ces météores réguliers et y déchiffra la fable lente et confuse d'un dragon, qui avait toujours protégé une renarde, malgré ses ingratitudes persistantes et ses délits constants. La lune s'amincit dans le ciel et les figures de papier et de roseau apportaient chaque soir la même histoire, avec des variantes presque imperceptibles. La Veuve s'affligeait, plongée dans ses pensées. Lorsque la lune s'arrondit dans le ciel et sur les eaux rougeâtres, l'histoire sembla toucher à fin. Nul ne pouvait prédire si un pardon illimité ou un châtiment illimité s'abattrait sur la renarde, mais l'inévitable dénouement approchait. La Veuve comprit. Elle jeta ses deux épées dans le fleuve, s'agenouilla au fond d'une chaloupe et se fit conduire jusqu'au vaisseau amiral de la flotte impériale.

Le soir tombait ; le ciel était rempli de dragons, jaunes cette fois-ci. La Veuve murmurait une phrase. « La renarde cherche l'aile du dragon », dit-elle en grimpant à bord.

---

9. **ordenó que la condujeran :** l'espagnol respecte scrupuleusement la concordance des temps (principale à un temps du passé, subordonnée à l'imparfait du subjonctif). Notez par ailleurs **condujeran**, imp. du subj. de **conducir**. Tous les verbes se terminant en **-ducir** se conjuguent de la même façon.

10. **al subir :** devant l'infinitif, **al** indique le moment précis où se déroule une action.

Los cronistas refieren[1] que la zorra obtuvo[2] su perdón y dedicó su lenta vejez al contrabando de opio. Dejó de ser[3] la Viuda ; asumió un nombre cuya traducción española es Brillo de la Verdadera Instrucción.

Desde aquel día (escribe un historiador) *los barcos recuperaron la paz. Los cuatro mares y los ríos innumerables fueron seguros y felices[4] caminos.*

Los labradores pudieron vender las espadas y comprar bueyes para el arado de sus campos. Hicieron sacrificios, ofrecieron plegarias en las cumbres de las montañas y se regocijaron durante el día cantando atrás de biombos[5].

---

1. **refieren :** de **referir** : *raconter.* **Referirse a** : *se référer à, parler de.*
2. **obtuvo :** passé simple irrégulier de **obtener**, sur le modèle de **tener**.
3. **dejó de ser :** *elle cessa d'être.*
4. **felices** signifie ici *marqués par le bonheur,* jouissant de celui-ci. Synonymes : **dichoso, venturado, afortunado.**
5. **y se regocijaron... biombos :** m. à m. *et se réjouirent pendant le jour en chantant derrière les paravents.*

L'APOTHÉOSE

Les chroniqueurs rapportent que la renarde obtint son pardon et consacra sa paisible vieillesse à la contrebande de l'opium. Elle cessa d'être la Veuve, porta un nom dont la traduction française est « Éclat de la Véritable Instruction ».

Depuis ce jour (écrit un historien), *les bateaux retrouvèrent la paix. Les quatre mers et les fleuves innombrables devinrent des chemins sûrs et prospères.*

Les paysans purent vendre les épées et acheter des bœufs pour labourer leurs champs. Ils firent des oblations, récitèrent des prières au sommet des montagnes et leurs chants d'allégresse retentirent du matin au soir derrière les paravents.

Vous avez rencontré dans cette histoire l'équivalent des expressions françaises suivantes.
Vous en souvenez-vous ?

1. Cela risque de réveiller un souvenir gênant.
2. Les femmes corsaires ont néanmoins existé.
3. Mary le provoqua en duel et se battit contre lui.
4. Si tu t'étais battu comme un homme, on ne te pendrait pas comme un chien.
5. On nomma amiral un certain Ching.
6. Les actionnaires l'apprirent à temps.
7. Les habitants épouvantés émigrèrent vers l'intérieur.
8. Au milieu de l'an 1809, un édit impérial fut promulgué.
9. Il souffrit moins de ces nouvelles que du désastre de son expédition.
10. C'étaient des constructions de papier, semblables aux cerfs-volants.
11. Elle cessa d'être la Veuve et assuma un autre nom.
12. Ses forces affrontèrent celles de l'empereur.
13. Les envahisseurs ne trouvèrent que des côtes désertes.
14. Il allait accepter la subornation.

1. Esto corre el albur de despertar un recuerdo molesto.
2. Sin embargo, ha habido corsarias.
3. Mary lo retó a duelo y se batió con él.
4. Si te hubieras batido como un hombre, no te ahorcarían como a un perro.
5. Nombraron almirante a un tal Ching.
6. Los accionistas lo supieron a tiempo.
7. Los habitantes despavoridos emigraron tierra adentro.
8. A mediados de 1809, se promulgó un edicto imperial.
9. Esas noticias le dolieron menos que el desastre de su expedición.
10. Eran construcciones de papel, a modo de cometas.
11. Dejó de ser la Viuda y asumió otro nombre.
12. Sus fuerzas se enfrentaron con las del emperador.
13. Los invasores no hallaron sino costas desiertas.
14. Éste iba a aceptar el soborno.

El proveedor de iniquidades
Monk Eastman

Le pourvoyeur d'iniquités, Monk Eastman

Perfilados bien por un fondo de paredes celestes o de cielo alto, dos compadritos [2] envainados [3] en seria ropa negra bailan sobre zapatos de mujer un baile gravísimo, que es el de los cuchillos parejos, hasta que de una oreja salta un clavel porque el cuchillo ha entrado en un hombre, que cierra con su muerte horizontal el baile sin música. Resignado, el otro se acomoda el chambergo [4] y consagra su vejez a la narración de ese duelo tan limpio. Ésa es la historia detallada y total de nuestro malevaje [5]. La de los hombres de pelea de Nueva York es más vertiginosa y más torpe.

LOS DE LA OTRA

La historia de las bandas de Nueva York (revelada en 1928 por Herbert Asbury en un decoroso volumen de cuatrocientas páginas en octavo) tiene la confusión y la crueldad de las cosmogonías bárbaras y mucho de su ineptitud gigantesca : sótanos de antiguas cervecerías habilitadas para conventillos [6] de negros, una raquítica Nueva York de tres pisos, bandas de forajidos como los Ángeles del Pantano *(Swamp Angels)* que merodeaban entre laberintos de cloacas ,

---

1. **esta América** : comme les formes latines dont ils proviennent, les trois démonstratifs espagnols représentent chacun l'une des trois personnes fondamentales ; **este** (moi), **ese** (toi), **aquel** (l'autre). D'où la valeur et la traduction de **esta América** *(notre Amérique).*
2. le **compadrito** est un personnage des faubourgs et des bas-fonds de Buenos Aires ; paresseux, bagarreur et arrogant, c'est une espèce de faux dur rebelle à toute forme d'autorité mais capable néanmoins, comme ici, de réactions viriles.
3. **envainados** : de **vaina**, *fourreau.*
4. **chambergo** : chapeau à large bord popularisé en Argentine par le général Bartolomé Mitre (1821-1906), homme politique, écrivain et surtout fondateur du grand quotidien *La Nación* en 1870.

CEUX DE NOTRE AMÉRIQUE

Bien découpés sur fond de murs célestes ou de haut azur, deux *compadritos* engoncés dans d'austères vêtements noirs exécutent sur des chaussures de femme une danse tragique, celle des couteaux identiques, jusqu'à ce qu'un œillet saute d'une oreille car le couteau s'est enfoncé dans un homme, qui clôt de sa mort horizontale la chorégraphie sans musique. Résigné, l'autre arrange son chapeau et consacre sa vieillesse au récit de ce duel si loyal. Telle est l'histoire détaillée et complète de nos voyous. Celle des malandrins de New York est plus vertigineuse et plus grossière.

CEUX DE L'AUTRE

L'histoire des bandes de New York (dévoilée en 1928 par Herbert Asbury dans un estimable volume de quatre cents pages in octavo) possède la confusion et la cruauté des cosmogonies barbares, et beaucoup de leur gigantesque ineptie : caves d'anciennes brasseries transformées en repaire de nègres, une New York rachitique de trois étages, des bandes de hors-la-loi tels les Anges du Marécage *(Swamp Angels)* qui rôdaient dans des labyrinthes de cloaques,

---

5. **malevaje :** à partir de l'argentinisme **malevo** *(truand, voyou)* et du suffixe collectif -aje. Remarquez ce superbe condensé d'écriture, où comment, en quelques mots bien choisis, donner au drame une dimension cosmique **(paredes celestes, cielo alto)**, poétique **(un clavel)** et tragique **(la muerte)**, en évoquer les couleurs **(celeste, ropa negra)** et les bruits **(sin música)**, le système de valeurs qui le régit **(resignado, duelo tan limpio)**. Le talent de Borges transforme en mythe une rixe banale entre deux voyous **(la historia detallada y total de nuestro malevaje)**.
6. **conventillo :** typique logement populaire, très répandu à Buenos Aires au début du siècle et caractérisé par une forte concentration de population (voir glossaire).

bandas de forajidos como los *Daybreak Boys* (Muchachos del Alba) que reclutaban asesinos precoces[1] de diez y once años, gigantes solitarios y descarados como los Galerudos[2] Fieros[3] *(Plug Uglies)* que procuraban[4] la inverosímil risa del prójimo con un firme sombrero de copa lleno de lana y los vastos faldones de la camisa ondeados por el viento del arrabal, pero con un garrote en la diestra[5] y un pistolón profundo ; bandas de forajidos como los Conejos Muertos *(Dead Rabbits)* que entraban en batalla bajo la enseña de un conejo muerto en un palo ; hombres como Johnny Dolan el Dandy, famoso por el rulo[6] aceitado[7] sobre la frente, por los bastones con cabeza de mono y por el fino aparatito de cobre que solía calzarse[8] en el pulgar para vaciar los ojos del adversario ; hombres como Kit Burns, capaz de decapitar de un solo mordisco una rata viva ; hombres como Blind Danny Lyons, muchacho rubio de ojos muertos inmensos, rufián de tres rameras que circulaban con orgullo por él ; filas de casas de farol colorado[9] como las dirigidas por siete hermanas de New England, que destinaban las ganancias de Nochebuena a la caridad ; reñideros[10] de ratas famélicas y de perros, casas de juego chinas, mujeres como la repetida viuda Red Norah, amada y ostentada por todos los varones que dirigieron la banda de los *Gophers* ;

---

1. **precoces :** à l'exception des noms propres (los Pérez), tous les noms se terminant par un z au singulier ont un pluriel en ces (precoz, precoces ; feliz, felices, etc.).
2. **galerudos :** de galera (argent., *chapeau haut de forme*) + le suffixe -**udo** ayant une valeur augmentative. Ce suffixe est souvent utilisé pour désigner une partie du corps exagérément développée : **un hombre narigudo,** *un homme affublé d'un gros nez.*
3. **fiero** est un faux ami : *féroce* (et non pas *fier,* qui se traduit en espagnol par **orgulloso**).
4. **procurar :** *faire en sorte que* (syn. : **intentar, tratar de**) ; **procurarse algo** : *se procurer quelque chose* (syn. : **conseguir, lograr**).
5. **diestra :** le français *dextre* est moins fréquent que le mot espagnol correspondant. **Diestro** (adj.) : *droit, adroit.*

des bandes de hors-la-loi comme les *Daybreak Boys* (les Gars de l'Aube), recrutant des assassins précoces âgés de dix ou onze ans, des géants solitaires et insolents tels les Féroces Cogneurs *(Plug Uglies)* qui déclenchaient l'invraisemblable rire d'autrui avec un chapeau claque rempli de laine fermement posé sur la tête et les vastes pans de chemise ondoyant au vent du faubourg, mais empoignant un gourdin de la dextre et un long pistolet ; des bandes de hors-la-loi comme les Lapins Morts *(Dead Rabbits)* qui entraient dans la bagarre sous l'enseigne d'un lapin mort accroché à un bâton ; des hommes comme Johnny Dolan le Dandy, célèbre pour sa boucle gominée sur le front, pour ses cannes à tête de singe et pour le fin appareil en cuivre qu'il enfilait à son pouce afin d'arracher les yeux de l'adversaire ; des hommes comme Kit Burns, capable de décapiter d'un seul coup de dents un rat vivant ; des hommes comme Blind Danny Lyons, blond éphèbe aux immenses yeux morts, souteneur de trois gagneuses fières de faire le trottoir pour lui ; des rangées de maisons ornées d'une lanterne rouge, à l'image de celles que dirigeaient sept sœurs de New England, qui consacraient leurs gains de la nuit de Noël à la charité ; des enclos pour combats de rats faméliques ou de chiens, des maisons de jeu chinoises, des femmes comme Red Norah, veuve à maintes reprises, aimée et affichée par tous les mâles qui commandèrent la bande des *Gophers* ;

A diestro y siniestro : *à droite et à gauche* ou *à tort et à travers.* **El diestro** : *le matador.*

6. **rulo,** au sens de *boucle,* constitue un américanisme. En Espagne : *rouleau.*

7. **aceitado :** de aceitar, *huiler.*

8. **calzarse :** *se chausser.* L'emploi de la forme pronominale de ce verbe est familier si elle ne concerne pas les chaussures.

9. **las casas de farol colorado :** *les maisons closes.*

10. **reñidero :** du verbe **reñir,** *se quereller.* La conjugaison de **reñir** est irrégulière, sur le modèle de **pedir** (alternance **e-i** dans le radical).

mujeres[1] como Lizzie the Dove, que se enlutó[2] cuando lo ejecutaron a Danny Lyons y murió[3] degollada por Gentle Maggie, que le discutió[4] la antigua pasión del hombre muerto y ciego ; motines como el de una semana salvaje de 1863, que[5] incendiaron cien edificios y por poco se adueñan[6] de la ciudad ; combates callejeros en los que el hombre se perdía como en el mar porque lo pisoteaban hasta la muerte ; ladrones y envenenadores de caballos como Yoske Nigger — tejen esta caótica historia. Su héroe más famoso es Edward Delaney, alias William Delaney, alias Joseph Marvin, alias Joseph Morris, alias Monk Eastman, jefe de mil doscientos hombres.

EL HÉROE

Estas fintas graduales (penosas como un juego de caretas que no se sabe bien cuál[7] es cuál) omiten su nombre verdadero — si es que nos atrevemos a pensar que hay tal cosa en el mundo. Lo cierto es que en el Registro Civil de Williamsburg, Brooklyn, el nombre es Edward Ostermann, americanizado en Eastman después. Cosa extraña, ese malevo tormentoso era hebreo. Era hijo de un patrón de restaurante de los que anuncian Kosher, donde varones de rabínicas[8] barbas pueden asimilar sin peligro la carne desangrada y tres veces limpia de terneras degolladas con rectitud.

---

1. **mujeres** : notez les répétitions dans cette vaste fresque dressée par l'auteur des bas-fonds new-yorkais. **Bandas de forajidos… hombres… mujeres** ; ces diverses anaphores visent bien entendu à créer un effet de symétrie, à renforcer le récit, à donner à l'ensemble un ton épique déjà annoncé, au début du paragraphe, par des formules telles que **las cosmogonías bárbaras.**
2. **enlutar** : de **luto** (deuil), endeuiller ; **enlutarse** : porter le deuil.
3. **murió** : passé simple irrégulier de **morir.**
4. **discutir** : a deux traductions, discuter ou contester.
5. le pronom relatif **que** a ici une valeur temporelle et équivaut à **en que.** Cette simplification est également possible lorsque le relatif a pour antécédent des mots tels

des femmes telle Lizzie the Dove, qui prit le deuil quand on exécuta Danny Lyons et mourut égorgée par Gentle Maggie, qui lui disputa l'ancienne passion de l'homme mort et aveugle ; des émeutes semblables à celle d'une semaine sauvage de 1863, au cours de laquelle cent édifices furent incendiés et où la ville faillit être prise ; des combats de rue où l'homme se perdait comme en mer parce qu'on le piétinait à mort ; des voleurs et des empoisonneurs de chevaux tel Yoske Nigger tissent cette histoire chaotique. Son héros le plus célèbre est Edward Delaney, alias William Delaney, alias Joseph Marvin, alias Joseph Morris, alias Monk Eastman, à la tête de mille deux cents hommes.

LE HÉROS

Ces camouflages successifs (désagréables comme un jeu de masques, car on ne sait plus très bien qui est qui) omettent son véritable nom — si nous nous risquons à penser qu'il existe pareille chose en ce monde. Ce qui est vrai, c'est que le Registre Civil de Williamsburg, Brooklyn, porte le nom d'Edward Ostermann, américanisé par la suite en Eastman. Chose bizarre, ce truand tempétueux était juif. Le fils d'un patron de ces restaurants annonçant une nourriture kasher, où des individus mâles à la barbe rabbinique peuvent digérer sans danger la viande saignée et trois fois purifiée de veaux égorgés avec rectitude.

---

que **día, vez, noche, tarde.** Ex. : **el día que me vaya, te avisaré** : *le jour où je m'en irai, je te préviendrai.*
6. **por poco se adueñan :** après la locution **por poco,** l'espagnol emploie toujours le présent de l'indicatif, car l'action qui a failli se produire est fortement actualisée. Autres traductions du français *faillir :* **a poco (más), de (por) poco, casi** (toujours suivi du présent de l'indicatif).
7. **cuál** porte un accent écrit car il s'agit ici d'un interrogatif indirect.
8. l'adjectif **rabínicas,** appliqué à une barbe, est plaisant ici, puisque généralement réservé à la langue, à la doctrine et aux écrits des rabbins.

A los diecinueve[1] años, hacia 1892, abrió con el auxilio de su padre una pajarería. Curiosear el vivir[2] de los animales, contemplar sus pequeñas decisiones y su inescrutable inocencia fue una pasión que lo acompañó hasta el final. En ulteriores épocas de esplendor, cuando rehusaba con desdén los cigarros de hoja[3] de los pecosos[4] *sachems* de Tammany o visitaba los mejores prostíbulos en un coche automóvil precoz[5], que parecía el hijo natural de una góndola, abrió un segundo y falso comercio, que hospedaba cien gatos finos[6] y más de cuatrocientas[7] palomas — que no estaban en venta para cualquiera. Los quería individualmente y solía recorrer a pie su distrito con un gato feliz en el brazo, y otros que lo seguían con ambición.

Era un hombre ruinoso[8] y monumental. El pescuezo era corto, como de toro, el pecho inexpugnable, los brazos peleadores y largos, la nariz rota, la cara aunque historiada de cicatrices menos importante que el cuerpo, las piernas chuecas[9] como de jinete o de marinero. Podía prescindir de camisa como también de saco[10], pero no de una galerita rabona[11] sobre la ciclópea cabeza. Los hombres cuidan su memoria. Físicamente, el pistolero convencional de los films es un remedo suyo, no del epiceno y fofo Capone. De Wolheim dicen que lo emplearon en Hollywood porque sus rasgos aludían directamente a los del deplorado Monk Eastman...

---

1. de 16 à 29 inclus, il existe deux façons d'écrire les nombres en espagnol : **diez y seis** ou **dieciséis**... **veinte y uno** ou **veintiuno**... **veinte y nueve** ou **ventinueve**, la seconde étant bien sûr la plus fréquente.

2. **el vivir :** infinitif substantivé *(le fait de vivre)*, possible avec tous les verbes intransitifs ou employés intransitivement.

3. **cigarros de hoja :** argent., *cigares* ordinaires, faits avec un tabac de mauvaise qualité et bon marché. *Cigare* se traduit également par **puro** ou **veguero**.

4. **pecoso :** de pecas, *tache de rousseur.*

5. **precoz** et, plus loin, **el hijo natural de una góndola :** precoz ne s'emploie que pour les fruits ou les enfants, ce qui n'empêche pas l'auteur de qualifier ainsi une automobile et d'aboutir à cette savoureuse comparaison.

À dix-neuf ans, vers 1892, il ouvrit, grâce à l'aide de son père, une oisellerie. Scruter la vie des animaux, contempler leur secrète innocence, fut une passion qui l'accompagna jusqu'au bout. Dans ses époques ultérieures de splendeur, quand il refusait avec dédain les médiocres cigares des *sachems* rouquins de Tammany ou faisait le tour des meilleurs bordels à bord d'une automobile précoce, qui semblait être la fille naturelle d'une gondole, il ouvrit un second et faux commerce, abritant cent chats de race et plus de quatre cents colombes — qui n'étaient mis en vente pour personne. Il les aimait individuellement et se plaisait à parcourir à pied son territoire avec un chat heureux niché dans son bras et d'autres qui le suivaient remplis d'ambition.

C'était un homme courtaud et monumental. Le cou était trapu, comme celui d'un taureau, la poitrine inexpugnable, les bras longs et bagarreurs, le nez cassé, la face quoique agrémentée de cicatrices moins imposante que le corps, les jambes arquées à la façon du cavalier ou du marin. Il pouvait bien se passer d'une chemise ou d'une veste, mais jamais d'un petit chapeau melon riquiqui sur sa tête cyclopéenne. Les hommes cultivent leur image pour la postérité. Physiquement, le tueur conventionnel des films en est une pâle imitation, non de l'androgyne et mollasse Capone. On affirme que Wolheim fut employé à Hollywood car ses traits faisaient directement allusion à ceux du regretté Monk Eastman...

---

6. **fino :** au sens figuré, *bien élevé, de bonne éducation.*
7. **cuatrocientas palomas :** à partir de deux cents, les centaines prennent un pluriel en **-as** devant les noms féminins.
8. **ruinoso :** de **ruin** *(petit, humble)* ; les sens de **ruineux** (**gastos ruinosos**) ou de *délabré* (**una casa ruinosa**) sont plus courants.
9. l'adjectif **chueco,** *tordu,* est un américanisme.
10. **el saco :** *la veste* en Argentine.
11. **la galerita** est un argentinisme pour *chapeau melon* (**hongo,** en Espagne). **Rabona,** de **rabo** *(queue d'un animal),* sert à qualifier, dans le langage familier, des objets plus petits que la normale.

Éste solía recorrer su imperio forajido con una paloma de plumaje azul en el hombro, igual que un toro con un benteveo [1] en el lomo.

Hacia 1894 abundaban los salones de bailes públicos en la ciudad de Nueva York. Eastman fue el encargado en uno de ellos de mantener el orden [2]. La leyenda refiere [3] que el empresario no lo quiso [4] atender y que Monk demostró su capacidad demoliendo con fragor el par de gigantes [5] que detentaban el empleo. Lo ejerció hasta 1899, temido y solo.

Por cada pendenciero que serenaba [6], hacía con el cuchillo una marca en el brutal garrote [7]. Cierta noche, una calva resplandeciente que se inclinaba sobre un bock de cerveza le llamó la atención y la desmayó [8] de un mazazo. « ¡ Me faltaba una marca para cincuenta ! » exclamó [9] después.

EL MANDO

Desde 1899 Eastman no era sólo famoso. Era caudillo [10] electoral de una zona importante, y cobraba fuertes subsidios de las casas de farol colorado, de los garitos, de las pindongas [11] callejeras y los ladrones de ese sórdido feudo [12]. Los comités lo consultaban para organizar fechorías y los particulares también.

---

1. **benteveo :** amér. pour **bienteveo,** *pitangue* ou *tyran jaune,* petit oiseau du Río de la Plata.
2. **el orden :** ce mot est masculin sauf lorsqu'il a le sens de *commandement* ou celui d'*ordre* religieux ou militaire.
3. **la leyenda refiere :** *la légende,* au sens de récit populaire traditionnel. Le truand est devenu un personnage légendaire et le récit de Borges prend des allures mythologiques.
4. **quiso :** passé simple irrégulier de **querer.**
5. **el par de gigantes :** m. à m. *la paire de géants.* L'espagnol emploie volontiers **un par de** pour désigner un nombre de deux objets qui ne constituent précisément pas une paire : **voy a comerme un par de huevos** *(je vais manger deux œufs).*
6. **serenar :** est un euphémisme *(apaiser l'esprit),* ainsi que le prouve l'encoche sur le gourdin.

Ce dernier avait l'habitude de parcourir son empire du crime avec une colombe au plumage bleu sur l'épaule, semblable au pitangue posé sur le dos du taureau.

Vers 1894, les salles de bals publics abondaient dans la ville de New York. Eastman fut chargé de maintenir l'ordre dans l'une d'entre elles. La légende rapporte que le patron ne voulut pas le recevoir et que Monk apporta la preuve de ses capacités en démolissant à grand fracas les deux géants détenteurs de l'emploi. Il l'exerça jusqu'en 1899, redouté et solitaire.

Chaque fois qu'il calmait un bagarreur, il faisait une encoche avec le couteau sur sa brutale matraque. Un certain soir, une calvitie éclatante penchée sur un bock de bière attira son attention et il l'assomma d'un coup de massue. « Il me manquait une marque pour arriver à cinquante ! » s'écria-t-il ensuite.

LE COMMANDEMENT

Depuis 1899, Eastman ne se contentait pas d'être célèbre. C'était le responsable électoral d'une zone importante, et il touchait de forts subsides provenant des maisons à lanterne rouge, des tripots, des filles des rues et des voleurs de cet empire sordide. Les comités le consultaient pour organiser leurs mauvais coups, ainsi que les particuliers.

---

7. **brutal garrote :** déplacement de l'adjectif, de l'homme à son instrument, procédé stylistique (hypallage) dont Borges est très friand.
8. **desmayar :** *causer un évanouissement,* mais plutôt en raison d'une émotion forte.
9. **exclamar :** *s'écrier,* n'est pas un verbe pronominal en espagnol.
10. **el caudillo :** en Espagne *le chef, le capitaine.* En Argentine, *le personnage influent.*
11. **pindongas** est un terme familier pour désigner les prostituées.
12. **feudo :** m. à m. *fief.*

He aquí[1] sus honorarios : 15 dólares una oreja
arrancada, 19 una pierna rota[2], 25 un balazo en una
pierna, 25 una puñalada[3], 100 el negocio entero. A
veces[4], para no perder la costumbre, Eastman ejecutaba personalmente una comisión.

Una cuestión de límites (sutil y malhumorada[5] como
las otras que posterga el derecho internacional) lo
puso enfrente de Paul Kelly, famoso capitán de otra
banda. Balazos y entreveros[6] de las patrullas habían
determinado un confín. Eastman lo atravesó un amanecer y lo acometieron cinco hombres. Con esos brazos
vertiginosos de mono y con la cachiporra hizo[7] rodar
a tres, pero le metieron dos balas en el abdomen y lo
abandonaron por muerto. Eastman se sujetó la herida
caliente con el pulgar y el índice y caminó con pasos
de borracho hasta el hospital. La vida, la alta fiebre
y la muerte se lo disputaron varias semanas, pero sus
labios no se rebajaron a delatar a nadie[8]. Cuando
salió, la guerra era un hecho y floreció[9] en continuos
tiroteos hasta el diecinueve de agosto del novecientos
tres.

LA BATALLA DE RIVINGTON[10]

Unos cien héroes vagamente distintos de las
fotografías que estarán desvaneciéndose[11] en los
prontuarios[12], unos cien héroes saturados de humo
de tabaco y de alcohol,

---

1. **he aquí :** *voici* (annonce ce qui va suivre) ; **he ahí :**
voilà (résume ce qui précède). Ces deux formules sont peu
usitées dans la langue courante, souvent remplacées par
des démonstratifs (**éste** ou **ése**) et diverses constructions
avec les verbes **estar** (**aquí está, ahí estoy,** etc.), **tener** (**aquí
me tienes, ahí la tenemos,** etc.), **ir, venir** ou **llegar** (avec
les adverbes **aquí, ahí** et **allí**).
2. **rota :** participe passé irrégulier de **romper.**
3. **balazo, puñalada :** deux mots formés à partir d'un nom
et d'un suffixe (**-azo** ou **-ada**) signifiant *un coup de.*
4. **a veces,** algunas veces, de vez en cuando : *parfois.*
5. **malhumorada :** le participe passé, en espagnol, peut
souvent prendre un sens actif ; par ex. : **malhumorada** : *de
mauvaise humeur* ou *suscitant cette mauvaise humeur ;* **un
hombre bien comido** : *un homme qui a bien mangé.*

Voici ses honoraires : 15 dollars une oreille arrachée, 19, une jambe cassée, 25, une balle dans une jambe, 25, un coup de poignard, 100, le traitement complet. Parfois, pour ne pas perdre la main, Eastman exécutait personnellement une commande.

Un problème de limites (subtil et agaçant comme tous ceux que le droit international repousse à plus tard) le fit affronter Paul Kelly, fameux capitaine d'une autre bande. Coups de feu et corps à corps des patrouilles avaient délimité une frontière. Eastman la franchit un jour, à l'aube, et fut attaqué par cinq hommes. A l'aide de ces bras vertigineux de singe et du gourdin, il en fit rouler trois par terre, mais il avait reçu deux balles dans le ventre et fut laissé pour mort. Eastman pressa le feu de sa blessure entre le pouce et l'index et se traîna avec une démarche d'ivrogne jusqu'à l'hôpital. La vie, les fortes fièvres et la mort se le disputèrent pendant plusieurs semaines, mais ses lèvres ne se rabaissèrent à dénoncer personne. Lorsqu'il sortit, la guerre était un fait et elle s'épanouit en interminables fusillades jusqu'au 19 août de l'an 1903.

LA BATAILLE DE RIVINGTON

Quelque cent héros vaguement différents des photographies sans doute pâlissantes dans les fichiers de la police, quelque cent héros saturés de fumée de tabac et d'alcool,

---

6. **entrevero :** *choc* entre deux corps de cavalerie, mot utilisé en particulier par les auteurs du Río de la Plata lorsqu'ils décrivaient les batailles de la guerre d'indépendance.

7. **hizo :** passé simple irrégulier de **hacer.**

8. **a nadie :** la préposition **a** est obligatoire puisque le pronom **nadie** représente une personne.

9. **la guerra floreció : florecer** est ici employé au sens figuré de *prospérer, être florissant.*

10. **la batalla de Rivington :** l'apothéose de cette guerre. Borges s'amuse à raconter un fait divers comme s'il s'agissait de l'Histoire (avec un grand H).

11. **estarán desvaneciéndose :** notez la valeur de ce futur de conjecture *(qui doivent être en train de se dissiper).*

12. en Argentine seulement : *le fichier de la police* (en Espagne : *l'agenda).* Dans l'argot de Buenos Aires **(lunfardo) :** la vie d'un individu, dans ses moindres détails.

unos cien héroes de sombrero de paja con cinta de colores, unos cien héroes [1] afectados quien más quien menos de enfermedades vergonzosas [2], de caries, de dolencias de las vías respiratorias o del riñón, unos cien héroes tan insignificantes o espléndidos como los de Troya o Junín [3], libraron ese renegrido hecho de armas en la sombra de los arcos del *Elevated*. La causa fue el tributo exigido por los pistoleros de Kelly al empresario de una casa de juego, compadre [4] de Monk Eastman. Uno de los pistoleros fue muerto [5] y el tiroteo consiguiente creció a batalla de incontados revólveres. Desde el amparo de los altos pilares hombres de rasurado mentón tiraban silenciosos y eran el centro de un despavorido horizonte de coches de alquiler [6] cargados de impacientes refuerzos, con artillería Colt en los puños. ¿ Qué [7] sintieron los protagonistas de esa batalla ? Primero (creo) la brutal convicción de que el estrépito insensato de cien revólveres los iba a aniquilar en seguida ; segundo (creo) [8] la no menos errónea seguridad de que si la descarga inicial no los derribó, eran invulnerables. Lo cierto es que pelearon con fervor, parapetados por el hierro y la noche. Dos veces intervino la policía y dos la rechazaron. A la primer [9] vislumbre del amanecer el combate murió, como si fuera [10] obsceno o espectral. Debajo de los grandes arcos de ingeniería quedaron siete heridos de gravedad, cuatro cadáveres y una paloma muerta [11].

---

1. **unos cien héroes :** ces répétitions visent bien sûr à donner un ton épique au récit de la bataille…
2. **enfermedades vergonzosas…** mais Borges s'empresse d'en ridiculiser les acteurs par quelques détails bassement physiques…
3. **Troya o Junín…** finissant par renvoyer dos à dos les héros de la mythologie grecque (**Troya**), de la guerre d'indépendance (**Junín** : victoire de Bolívar sur les Espagnols au Pérou, le 6 août 1824) et des bas-fonds new-yorkais, puisqu'ils sont tous *autant insignifiants ou magnifiques* (**tan insignificantes o espléndidos como**). Notez par ailleurs ce comparatif d'égalité (**tanto… como**) et l'apocope de **tanto** en **tan** devant un adjectif ou un adverbe.
4. **compadre :** *compère, ami,* et parfois synonyme de **compadrito** *(voyou)* dans le langage familier argentin.

quelque cent héros dont le chapeau de paille s'ornait d'un ruban coloré, quelque cent héros souffrant, à des degrés divers, de maladies honteuses, de caries, d'affections des voies respiratoires ou des reins, quelque cent héros insignifiants ou magnifiques à l'instar de ceux de Troie ou de Junín s'illustrèrent dans ce ténébreux fait d'armes à l'ombre des piliers du métro aérien. La cause en fut le tribut exigé par les tueurs de Kelly au patron d'une maison de jeux lié à Monk Eastman. L'un des gangsters fut abattu et la fusillade qui s'ensuivit s'enfla, devint une bataille d'innombrables revolvers. À l'abri des hautes arches, des hommes au menton rasé tiraient en silence, point central d'un horizon effroyable de voitures de location chargées de renforts impatients empoignant leur artillerie Colt. Qu'éprouvèrent les protagonistes de cette bataille ? D'abord (à mon avis), la conviction brutale que le tonnerre insensé de cent revolvers allait les anéantir aussitôt ; ensuite (à mon avis), la certitude non moins fallacieuse qu'ils étaient invulnérables puisque la décharge initiale ne les avait pas jetés à terre. À vrai dire, ils luttèrent avec ferveur, sous le bouclier du fer et de la nuit. La police intervint deux fois et deux fois elle fut repoussée. Le combat prit fin aux premières lueurs de l'aube, comme s'il était obscène ou spectral. Sous les grandes arches industrielles gisaient sept blessés graves, quatre cadavres et une colombe morte.

---

5. **muerto :** participe passé irrégulier de **morir**.
6. **coches de alquiler :** du verbe **alquilar**, *louer*. L'auteur s'amuse à rajouter quelques détails saugrenus afin de marquer sa distance par rapport au récit.
7. **qué :** accentué, car interrogatif.
8. **creo :** du verbe **creer**, *croire*. Borges fait irruption dans le récit et provoque ainsi une rupture de ton.
9. l'apocope de **primero** en **primer** devant un nom féminin est très rare ; elle est obligatoire devant un nom masculin singulier.
10. **como si fuera :** l'imparfait du subj. est obligatoire après **como si**.
11. une jolie façon d'évoquer la participation effective de Monk Eastman à cette bataille.

Los políticos parroquiales [1], a cuyo servicio [2] estaba
Monk Eastman, siempre desmintieron [3] públicamente
que hubiera tales bandas, o aclararon que se trataba
de meras sociedades recreativas. La indiscreta batalla
de Rivington los alarmó. Citaron [4] a los dos capitanes
para intimarles la necesidad de una tregua. Kelly
(buen sabedor de que los políticos eran más aptos
que todos los revólveres Colt para entorpecer la
acción policial) dijo [5] acto continuo [6] que sí [7] ; Eastman
(con la soberbia de su gran cuerpo bruto) ansiaba
más detonaciones y más refriegas. Empezó por rehusar
y tuvieron que amenazarlo con la prisión. Al fin los
dos ilustres malevos conferenciaron en un bar, cada
uno con un cigarro de hoja en la boca, la diestra en
el revólver y su vigilante nube de pistoleros alrededor.
Arribaron [8] a una decisión muy americana : confiar a
un match de box [9] la disputa. Kelly era un boxeador
habilísimo [10]. El duelo se realizó en un galpón [11] y fue
estrafalario. Ciento cuarenta espectadores lo vieron,
entre compadres de galera torcida y mujeres de frágil
peinado monumental. Duró dos horas y terminó en
completa extenuación. A la semana [12] chisporrotearon
los tiroteos. Monk fue arrestado, por enésima vez. Los
protectores se distrajeron de él con alivio ; el juez le
vaticinó [13], con toda verdad, diez años de cárcel.

---

1. **parroquial** : de **parroquia** : *paroissien* ou *clientèle* (com-
merçant, médecin, etc.).
2. **a cuyo servicio** : m. à m. *au service duquel était...*
Notez la préposition devant **cuyo** et sa nécessaire traduction
par *duquel* si l'on conserve une construction parallèle en
français.
3. **desmintieron** : passé simple irrégulier de **desmentir**
(comme **mentir**).
4. **citar** : *donner rendez-vous, traduire* (en justice), *provoquer* (le taureau, dans le langage tauromachique). **Citarse
con alguien** : *prendre rendez-vous avec quelqu'un.*
5. **dijo** : passé simple irrégulier de **decir**.
6. **acto continuo** : ou **seguido**, **en el acto**, *sur-le-champ.*
7. **sí** est accentué car il s'agit de l'adverbe *oui* et non de la
conjonction *si.*

Les politiciens du voisinage, qui bénéficiaient des services de Monk Eastman, avaient toujours démenti publiquement l'existence de telles bandes, ou bien précisé qu'il s'agissait de simples sociétés récréatives. L'indiscrète bataille de Rivington les effraya. Ils convoquèrent les deux capitaines pour leur intimer la nécessité d'une trêve. Kelly (sachant bien que les politiciens étaient plus aptes à entraver l'action policière que tous les revolvers Colt réunis) accepta séance tenante ; Eastman (avec la superbe de son grand corps sauvage) aspirait à plus de détonations et de bagarres. Il commença par refuser et on dut le menacer de la prison. Finalement, les deux illustres truands conférèrent dans un bar, chacun avec son cigare dans la bouche, sa dextre posée sur le revolver et sa vigilante nuée de tueurs tout autour. Ils arrivèrent à une décision très américaine : confier le sort de la dispute à un match de boxe. Kelly était un boxeur très habile. Le duel eut lieu dans un hangar et fut extravagant. Il se déroula en présence de cent quarante spectateurs, voyous avec le chapeau sur le coin de l'œil et femmes à la coiffure fragile et monumentale, dura deux heures et s'acheva lorsque les deux adversaires furent complètement exténués. Une semaine plus tard, on entendit le crépitement de la fusillade. Monk fut arrêté pour la énième fois. Ses protecteurs l'oublièrent avec soulagement ; le juge lui prédit, en toute vérité, dix années de prison.

---

8. **arribar :** de **riba**, *rivage ;* **llegar a** est beaucoup plus courant.

9. les Espagnols diraient **boxeo**.

10. **habilísimo :** superlatif (grâce au suffixe **-ísimo**) de **hábil ;** forme très fréquente en espagnol, tant dans la langue parlée que littéraire.

11. **galpón :** amér., *hangar* (en Espagne : **cobertizo**). C'était autrefois la pièce réservée aux esclaves dans les haciendas.

12. **a la semana :** notez la valeur de la préposition **a,** indiquant le moment exact où se déroule une action, au terme d'une période révolue. Elle se traduit alors en français par *au bout de* ou *après*.

13. **vaticinar :** *prédire, prophétiser ;* n'a pas la valeur fréquemment péjorative du verbe français *vaticiner*.

Cuando el todavía perplejo Monk salió de Sing Sing, los mil doscientos forajidos de su comando estaban desbandados. No los supo [1] juntar y se resignó a operar por su cuenta [2]. El 8 de setiembre [3] de 1917 promovió un desorden en la vía pública. El 9 resolvió participar en [4] otro desorden y se alistó en un regimiento de infantería.

Sabemos varios rasgos de su campaña. Sabemos que desaprobó con fervor la captura de prisioneros y que una vez (con la sola culata del fusil) impidió esa práctica deplorable. Sabemos que logró [5] evadirse del hospital para volver a las trincheras. Sabemos que se distinguió en los combates cerca de Montfaucon. Sabemos que después opinó que muchos bailecitos del Bowery eran más bravos [6] que la guerra europea.

EL MISTERIOSO, LÓGICO FIN

El 25 de diciembre de 1920 el cuerpo de Monk Eastman amaneció [7] en una de las calles centrales de Nueva York. Había recibido cinco balazos. Desconocedor feliz de la muerte, un gato de lo más ordinario [8] lo rondaba con cierta perplejidad.

---

1. **supo,** passé simple irrégulier de **saber.**
2. **por cuenta de :** *pour le compte de ;* por cuenta y riesgo **de :** *aux risques et périls de.*
3. **septiembre** est la forme généralement adoptée par les Espagnols, **setiembre** étant plus fréquent en Amérique latine.
4. **participar en otro desorden :** notez la construction **participar + en,** pour traduire l'idée de *participer à.* **Participar de :** *avoir part à* (participar de una cantidad de dinero), *partager* (participamos de las mismas ideas). **Participar** (verbe trans.) : *communiquer, faire part* (participále la noticia : *fais-lui part de la nouvelle*).
5. **lograr** est transitif et se construit directement avec l'infinitif : *réussir à, parvenir à.* **Dar por logrado :** *escompter.*

Lorsque Monk, encore perplexe, sortit de Sing Sing, les mille deux cents hors-la-loi sous ses ordres s'étaient dispersés dans la nature. Il ne parvint pas à les rassembler et se résigna à opérer par lui-même. Le 8 septembre 1917, il fut à l'origine d'un désordre sur la voie publique. Le 9, il se décidait à participer à un autre genre de désordre et s'enrôlait dans un régiment d'infanterie.

Nous connaissons certains épisodes de ses campagnes. Nous savons qu'il désapprouva avec ferveur la capture des prisonniers et qu'il empêcha une fois (rien qu'avec la culasse de son fusil) cette déplorable pratique. Nous savons qu'il réussit à s'enfuir de l'hôpital pour retourner dans les tranchées. Nous savons qu'il se distingua dans les combats près de Montfaucon. Nous savons qu'il jugea par la suite que beaucoup de petits bals du Bowery étaient plus féroces que la guerre européenne.

LA FIN, MYSTÉRIEUSE ET LOGIQUE

Le 25 décembre 1920, à l'aurore, on découvrit le corps de Monk Eastman dans l'une des rues du centre de New York. Il était criblé de cinq balles. Heureux d'ignorer la mort, un chat des plus ordinaires tournait autour de lui avec une certaine perplexité.

---

6. **bravos** est ici un faux ami : *féroce, sauvage.* **Un toro bravo** : *un taureau de combat.* **Bravo**, en espagnol, ne signifie jamais *bon* ou *sympathique.*
7. **amaneció** : m. à m. *apparut au lever du jour.*
8. ce pauvre Monk Eastman, qui avait tant aimé les chats de race !

Révisions

Vous avez rencontré dans cette histoire l'équivalent des expressions françaises suivantes.

Vous en souvenez-vous ?

1. Il me manquait une marque pour arriver à cinquante, s'écria-t-il.
2. Depuis 1899, il n'était pas seulement célèbre.
3. Voici ses honoraires.
4. Ses lèvres ne se rabaissèrent pas à dénoncer quiconque.
5. Quelque cent héros différents des photographies.
6. Qu'éprouvèrent les protagonistes de cette bataille ?
7. En tout cas ils luttèrent avec ferveur.
8. Le combat cessa à l'aube, comme s'il était obscène.
9. L'homme acquiesça aussitôt.
10. Un chat des plus ordinaires tournait autour de lui.
11. Le corps apparut à l'aube criblé de cinq balles.
12. Il décida de participer à un autre type de désordre.
13. Il parvint à s'évader de l'hôpital pour regagner les tranchées.
14. Il se résigna à agir pour son propre compte.

1. **Me faltaba una marca para cincuenta, exclamó.**
2. **Desde 1899, no era sólo famoso.**
3. **He aquí sus honorarios.**
4. **Sus labios no se rebajaron a delatar a nadie.**
5. **Unos cien héroes distintos de las fotografías.**
6. **¿ Qué sintieron los protagonistas de esta batalla ?**
7. **Lo cierto es que pelearon con fervor.**
8. **Al amanecer el combate murió, como si fuera obsceno.**
9. **El hombre dijo acto continuo que sí.**
10. **Un gato de lo más ordinario lo rondaba.**
11. **El cuerpo amaneció con cinco balazos.**
12. **Resolvió participar en otro desorden.**
13. **Logró evadirse del hospital para volver a las trincheras.**
14. **Se resignó a operar por su cuenta.**

El asesino desinteresado Bill Harrigan

L'assassin désintéressé Bill Harrigan

La imagen[1] de las tierras de Arizona, antes que[2] ninguna otra imagen : la imagen de las tierras de Arizona y de Nuevo México, tierras con un ilustre fundamento de oro y plata, tierras vertiginosas y aéreas, tierras de la meseta monumental y de los delicados colores, tierras con blanco resplandor de esqueleto pelado por los pájaros. En esas tierras otra imagen, la de Billy The Kid : el jinete clavado sobre el caballo, el joven de los duros pistoletazos que aturden el desierto, el emisor de balas invisibles que matan a distancia, como una magia.

El desierto veteado[3] de metales, árido y reluciente. El casi niño que al morir a los veintiún[4] años debía a la justicia de los hombres veintiuna muertes — « sin contar mejicanos[5] ».

EL ESTADO LARVAL

Hacia 1859 el hombre que para el terror y la gloria sería Billy the Kid nació en un conventillo[6] subterráneo de Nueva York. Dicen que lo parió[7] un fatigado vientre irlandés, pero se crió entre negros. En ese caos de catinga[8] y de motas[9] gozó el primado que conceden las pecas y una crencha[10] rojiza. Practicaba el orgullo de ser blanco ; también era esmirriado[11], chúcaro[12], soez .

---

1. **la imagen :** Borges construit ce récit comme un western, d'où cette superbe évocation, très cinématographique, du paysage nord-américain.
2. **antes que nada :** *avant tout* ; antes de ayer : *avant-hier ;* cuanto antes ou lo antes posible : *le plus tôt possible ;* mucho antes : *bien avant ;* antes morir que olvidarte : *plutôt mourir que t'oublier.*
3. **vetear :** participe passé du verbe vetear, *veiner.*
4. **veintiún :** uno s'apocope également en **un** devant un nom masculin pluriel ; il est alors, bien sûr, précédé d'un autre nombre.
5. **mejicanos :** contrairement au français, les noms de nationalité s'écrivent sans majuscule en espagnol.
6. **conventillo :** argent., *logement pour pauvres, taudis.*

L'image des terres de l'Arizona, avant toute autre image : celle des terres de l'Arizona et du Nouveau-Mexique, terres sur d'illustres fondations d'or et d'argent, terres vertigineuses et aériennes, terres du plateau monumental et des couleurs délicates, terres à la blancheur éclatante des squelettes nettoyés par les oiseaux. Sur ces terres une autre image, celle de Billy The Kid : le cavalier cloué sur son cheval, l'adolescent dont les secs coups de feu assourdissent le désert, le tireur de balles invisibles tuant à distance, comme par magie.

Le désert veiné de métaux, aride et luisant. L'enfant ou presque qui mourut à vingt et un ans, redevable à la justice des hommes de vingt et une morts — « sans compter les Mexicains ».

L'ÉTAT LARVAIRE

Vers 1859, l'homme qui, pour la terreur et pour la gloire, allait devenir Billy The Kid, naquit dans un taudis souterrain de New York. On raconte qu'enfanté par un ventre irlandais harassé, il fut élevé au milieu des nègres. Dans ce chaos nauséabond et crépu, il jouit du primat que lui accordaient ses taches de rousseur et sa tignasse rouquine. Il pratiquait la fierté d'être blanc ; il était aussi maigrichon, sauvage, rustre.

---

7. **parir** : *mettre bas,* est plutôt employé pour les animaux, **dar a luz** étant nettement plus élégant.

8. **catinga** : amér., *odeur désagréable.*

9. **mota** : *petite tache, monticule, poussière* (**tener una mota en el ojo**). En Amérique, *la chevelure crépue des Noirs.*

10. **crencha** : la *raie* qui sépare les cheveux et, par extension, toute la chevelure.

11. **esmirriado** ou **desmirriado** : terme familier pour désigner une personne *malingre.*

12. **chúcaro** : amér., généralement utilisé pour les animaux *(sauvage).*

A los doce años militó en la pandilla de los *Swamp Angels* (Ángeles de la Ciénaga), divinidades que operaban entre las cloacas. En las noches con olor a niebla[1] quemada emergían de aquel fétido laberinto, seguían el rumbo de algún marinero[2] alemán, los desmoronaban[3] de un cascotazo[4], lo despojaban hasta de la ropa interior, y se restituían después a la otra basura. Los comandaba un negro encanecido[5], Gas Houser Jonas, también famoso como envenenador de caballos.

A veces, de la buhardilla de alguna casa jorobada[6] cerca del agua, una mujer volcaba sobre la cabeza de un transeúnte un balde de ceniza. El hombre se agitaba y se ahogaba. En seguida los Ángeles de la Ciénaga pululaban sobre él, lo arrebataban por la boca de un sótano y lo saqueaban.

Tales fueron los años de aprendizaje de Billy Harrigan, el futuro Billy the Kid. No desdeñaba las ficciones teatrales ; le gustaba asistir (acaso[7] sin ningún presentimiento de que eran símbolos y letras[8] de su destino) a los melodramas de cowboys.

GO WEST !

Si los populosos teatros del Bowery (cuyos concurrentes vociferaban « ¡ Alcen[9] el trapo ! » a la menor impuntualidad del telón) abundaban en esos melodramas de jinete y balazo, la facilísima razón es que América[10] sufría entonces la atracción del Oeste.

---

1. **olor a niebla :** à l'inverse du français, qui les construit directement, l'espagnol introduit le complément de certains verbes de perception à l'aide de la préposition **a** ; on dit ainsi **oler a** ou **saber a** *(avoir le goût de).* Les noms correspondant à ces verbes sont utilisés avec la même préposition : **un perfume a rosas,** *un parfum de roses ;* **un sabor a chocolate :** *un goût de chocolat.*
2. **algún marinero :** alguno s'apocope en **algún** devant un nom masculin singulier. Notez la conséquence du point de vue de l'accentuation : **alguno** (sans accent), **algún** (avec un accent sur le **u**).
3. **desmoronar :** *faire s'écrouler.*
4. **cascotazo,** de cascote *(pierre* ou *morceau de brique)* + *le suffixe* **-azo** *(coup de).*

À douze ans, il s'enrôla dans la bande des *Swamp Angels* (Anges du Marais), divinités opérant parmi les cloaques. Pendant les nuits exhalant des odeurs de brouillard calciné, ils émergeaient de ce fétide labyrinthe, suivaient la route de quelque marin allemand, lui fracassaient la tête avec une pierre, le dépouillaient, sous-vêtements y compris, et réintégraient ensuite leur autre monde d'ordures. À leur tête un nègre aux cheveux blancs, Gas Houser Jonas, également fameux comme empoisonneur de chevaux.

Parfois, de la lucarne de quelque maison bossue près de l'eau, une femme renversait sur la tête d'un passant une bassine de cendres. L'homme s'agitait et étouffait. Aussitôt les Anges du Marais grouillaient autour de lui, l'entraînaient par le soupirail d'une cave et le dévalisaient.

Telles furent les années d'apprentissage de Billy Harrigan, le futur Billy The Kid. Il ne dédaignait pas les fictions théâtrales, se plaisait à assister (peut-être sans pressentir aucunement qu'ils étaient à la fois symboles et strictes représentations de son destin) aux mélodrames de cowboys.

GO WEST !

Si les populeux théâtres du Bowery (dont les spectateurs vociféraient : « Remontez ce foutu torchon ! » au moindre retard du lever de rideau) multipliaient ces mélodrames riches en cavaliers et en coups de feu, l'explication toute simple en était que l'Amérique subissait alors l'attrait de l'Ouest.

---

5. **encanecido,** participe passé de encanecer, *blanchir, grisonner.* Las canas : *les cheveux blancs ;* echar una cana al aire : *faire une incartade.*
6. **joroba :** *la bosse* et, au figuré, *la corvée, l'embêtement.* Le verbe **jorobar** est familier et signifie *casser les pieds.*
7. **acaso :** *peut-être,* comme **puede ser, tal vez, a lo mejor, quizá** ou **quizás.**
8. **letra :** *la lettre,* c'est-à-dire le sens strict des mots composant un texte. **A la letra** ou **al pie de la letra :** *au pied de la lettre.*
9. **alcen,** du verbe **alzar.** Le z se transforme en c chaque fois que la terminaison commence par un **e.**
10. **América :** les noms de pays, de continents, de villes, de régions, etc., se construisent sans article en espagnol, sauf s'ils sont déterminés : **la América de Cristóbal Colón.**

Detrás de los ponientes [1] estaba el oro de Nevada y de California. Detrás de los ponientes estaba el hacha [2] demoledora de cedros, la enorme cara babilónica del bisonte, el sombrero de copa y el numeroso [3] lecho [4] de Brigham Young, las ceremonias y la ira del hombre rojo, el aire despejado [5] de los desiertos, la desaforada pradera, la tierra fundamental cuya cercanía apresura el latir [6] de los corazones como la cercanía del mar. El Oeste llamaba. Un continuo rumor acompasado [7] pobló esos años : el de millares de hombres americanos ocupando el Oeste. En esa progresión, hacia 1872, estaba el siempre aculebrado [8] Bill Harrigan, huyendo de [9] una celda rectangular.

DEMOLICIÓN DE UN MEJICANO

La Historia (que, a semejanza [10] de cierto director cinematográfico, procede por imágenes discontinuas) propone ahora la de una arriesgada taberna, que está en el todopoderoso desierto igual que en alta mar. El tiempo, una destemplada noche del año 1873 ; el preciso lugar [11], el Llano Estacado (New Mexico). La tierra [12] es casi sobrenaturalmente lisa, pero el cielo de nubes a desnivel, con desgarrones [13] de tormenta y de luna, está lleno de pozos que se agrietan y de montañas.

---

1. **el poniente :** *l'occident, le ponant ; le vent d'ouest.*
2. **hacha** est féminin mais commence par un a accentué, d'où l'article masculin **el.**
3. **numeroso :** *nombreux,* mais ce sont les femmes qui le fréquentent qui sont nombreuses, et non les lits.
4. **lecho** est plus recherché que **cama.**
5. **despejado :** participe passé de **despejar,** *dégager, balayer.*
6. **el latir :** infinitif substantivé à partir du verbe **latir** (*battre,* pour le cœur ou le pouls).
7. **acompasado :** de **compás,** *rythme ;* **llevar el compás :** *battre la mesure.*
8. **aculebrado :** mot formé à partir de **culebra,** *couleuvre, serpent.*
9. **huyendo de :** notez l'emploi de la préposition **de** après le verbe **huir** (on s'éloigne de ce que l'on fuit).

Au-delà du soleil couchant se trouvait l'or du Nevada et de la Californie. Au-delà du soleil couchant, il y avait les haches démolisseuses de cèdres, l'énorme face babylonienne du bison, le chapeau haut de forme et le lit encombré de Brigham Young, les cérémonies et la colère de l'homme rouge, l'air vif des déserts, la plaine gigantesque, l'essence de la terre dont la proximité accélère les battements du cœur comme le voisinage de la mer. L'Ouest appelait. Une rumeur lancinante et cadencée peupla ces années-là : celle de milliers d'hommes américains envahissant les contrées de l'Ouest. Dans cette progression, vers 1872, on retrouvait le toujours sinueux Bill Harrigan, qui fuyait une cellule rectangulaire.

DÉMOLITION D'UN MEXICAIN

L'Histoire (qui, à l'instar de certain metteur en scène de cinéma, procède par images discontinues) propose à présent un bouge aventureux, au cœur du désert tout-puissant comme s'il était en haute mer. Le temps, une nuit tumultueuse de l'année 1873 ; le lieu précis, Llano Estacado (Nouveau-Mexique). La terre est presque surnaturelle à force d'être lisse, mais le ciel aux nuages d'inégale hauteur, avec des déchirures d'orage et de lune, est rempli de puits qui se creusent et de montagnes.

---

10. **a semejanza :** *à l'instar de,* comme **a ejemplo de, a la manera de.**
11. **el tiempo... el preciso lugar :** Borges construit cette scène comme s'il s'agissait d'une tragédie classique, en respectant les règles d'unité de temps et de lieu.
12. **la tierra... el cielo... las nubes... la tormenta... la luna... las montañas :** hommes et éléments vont se déchaîner, le drame devient cosmique comme dans les récits des mythologies grecque ou latine.
13. **desgarrón :** nom formé à partir du verbe **desgarrar,** *déchirer.*

En la tierra hay el cráneo de una vaca, ladridos y ojos de coyote en la sombra, finos caballos y la luz alargada de la taberna. Adentro[1], acodados en el único mostrador, hombres cansados y fornidos beben un alcohol pendenciero y hacen ostentación[2] de grandes monedas de plata, con una serpiente[3] y un águila[4]. Un borracho canta impasiblemente. Hay quienes[5] hablan un idioma con muchas eses, que ha de ser[6] español, puesto que quienes lo hablan son despreciados[7]. Bill Harrigan, rojiza rata de con-ventillo, es de los bebedores[8]. Ha concluido un par de aguardientes y piensa pedir otro más, acaso porque no le queda un centavo. Lo anonadan los hombres de aquel desierto. Los ve tremendos, tempestuosos, felices, odiosamente sabios en el manejo de hacienda[9] cimarrona y de altos caballos. De golpe[10] hay un silencio total, sólo ignorado por la desatinada voz del borracho. Ha entrado un mejicano más que fornido, con cara de india vieja. Abunda en un desaforado sombrero y en dos pistolas laterales. En duro inglés desea las buenas noches a todos los gringos[11] hijos de perra que están bebiendo. Nadie recoge el desafío. Bill pregunta quién es, y le susurran temerosamente que el *Dago* — el Diego — es Belisario Villagrán, de Chihuahua. Una detonación retumba en seguida. Parapetado por aquel cordón de hombres altos, Bill ha disparado sobre el intruso.

---

1. **adentro :** *à l'intérieur ;* **para** ou **en sus adentros :** *dans son for intérieur.*
2. **hacer ostentación :** *faire étalage, afficher ;* **ostentar :** *montrer, arborer, étaler ;* **lucir :** *arborer, exhiber, se parer de.*
3. **la serpiente :** *le serpent.* Attention au genre de ce mot en espagnol.
4. **águila** est féminin mais commence par un **a** accentué, ce qui explique l'article indéfini **un.**
5. **quienes** est employé ici sans antécédent et désigne une personne indéterminée.
6. **ha de ser :** la valeur de **haber de** + inf. varie selon le temps, la personne, la nature interrogative ou affirmative du verbe, la nuance d'obligation n'apparaissant nettement qu'à la deuxième et à la troisième personne du présent de

Sur le sol, le crâne d'une vache, des aboiements et des yeux de coyote dans l'ombre, des chevaux racés et les lueurs allongées de la taverne. Dedans, accoudés à l'unique comptoir, des hommes fatigués et trapus boivent un alcool querelleur et exhibent de grandes pièces de monnaie en argent, avec un serpent et un aigle. Un ivrogne chante, impassible. Certains parlent une langue comportant beaucoup de s, l'espagnol sans doute, puisque ceux qui le parlent sont méprisés. Bill Harrigan, rougeâtre rat de clapier, fait partie des buveurs. Il a fini deux verres d'eau-de-vie et pense en commander un autre : il ne doit pas lui rester le moindre cent. Les hommes de ce désert l'accablent. Il les voit formidables, tempétueux, heureux, odieusement experts dans le maniement des troupeaux sauvages et des chevaux. Soudain, le silence total se fait, seulement troublé par la voix désaccordée de l'ivrogne. Vient d'entrer un Mexicain plus que robuste, avec un visage de vieille Indienne. Il s'étale avec son chapeau extravagant et ses deux pistolets latéraux. Dans un anglais rocailleux, il souhaite le bonsoir à tous ces fils de chienne de gringos en train de boire. Personne ne relève le défi. Bill demande de qui il s'agit et on lui souffle craintivement que le Dago — le Diego — est Belisario Villagrán, de Chihuahua. Une détonation retentit aussitôt. Retranché derrière ce cordon de géants, Bill a tiré sur l'intrus.

---

l'ind., une obligation cependant moins impérative qu'avec **tener que** + inf. Ici, **haber de** exprime une conjecture et est l'équivalent de **deber de.**

7. **son despreciados :** le verbe **ser** car c'est la voix passive.

8. **es de los bebedores :** le verbe **ser** + **de** pour marquer la notion d'appartenance.

9. **hacienda :** amér., *bétail* (**ganado** en Espagne). En castillan, la **hacienda** désigne la grande propriété agricole d'Amérique du Sud et aussi, sans article mais avec un **H** majuscule, le *ministère des Finances.*

10. **de golpe** ou **de repente :** *soudain.*

11. **gringo** est une déformation de **griego** *(grec)* au sens de langage incompréhensible : l'habitant des États-Unis, pour les Hispano-Américains.

La copa cae del puño de Villagrán ; después, el hombre entero. El hombre no precisa otra bala. Sin dignarse [1] mirar al muerto lujoso [2], Bill reanuda la plática [3]. « ¿ De veras [4] ? », dice. « Pues yo soy Billy Harrigan, de New York. » El borracho sigue cantando, insignificante.

Ya se adivina la apoteosis. Bill concede [5] apretones de manos y acepta adulaciones, hurras y whiskies. Alguien observa que no hay marcas en su revólver y le propone grabar una para significar la muerte de Villagrán. Billy the Kid se queda con la navaja de ese alguien [6], pero dice « que no vale la pena [7] anotar mejicanos ». Ello, acaso, no basta. Bill, esa noche, tiende su frazada [8] junto al cadáver y duerme hasta la aurora — ostentosamente.

MUERTES PORQUE SÍ [9]

De esa feliz detonación (a los catorce años de edad) nació Billy the Kid el Héroe y murió el furtivo Bill Harrigan. El muchachuelo [10] de la cloaca y del cascotazo ascendió a [11] hombre de frontera. Se hizo jinete [12] ; aprendió a estribar derecho sobre el caballo a la manera de Wyoming o Texas, no con el cuerpo echado hacia atrás, a la manera de Oregón y de California. Nunca se pareció del todo a su leyenda, pero se fue acercando [13].

---

1. **dignarse** : *daigner* ; est toujours pronominal en espagnol.
2. **lujoso** : m. à m. *luxueux*.
3. **plática** : *conversation* ; est plus souvent employé en Amérique du Sud qu'en Espagne (**charla**).
4. **de veras** est l'équivalent de **de verdad**.
5. **conceder**, otorgar, consentir : *accorder, octroyer*. Dans ce sens **acordar** est un américanisme. En castillan il signifie généralement *convenir de, décider*.
6. cet **alguien** prend ici une valeur péjorative, renforcée par la répétition et l'emploi du démonstratif **ese** : l'individu en question ne mérite même pas d'être nommé.
7. **no vale la pena** ou merece la pena.
8. **frazada** : syn. **manta** *(couverture de lit)*, plus courant.

114

Le verre tombe du poing de Villagrán ; puis l'homme tout entier. L'homme n'a pas besoin d'une autre balle. Sans même daigner regarder ce mort qui vaut son pesant d'or, Bill reprend la conversation. « Vraiment ? » dit-il. « Eh bien moi, je suis Billy Harrigan, de New York. » L'ivrogne continue à chanter, insignifiant.

On devine déjà l'apothéose. Bill accorde des poignées de main et accepte adulations, hourras et whiskies. Un quidam observe qu'il n'y a pas d'encoches sur son revolver et lui propose d'en graver une pour marquer la mort de Villagrán. Billy The Kid garde le couteau du quidam mais rétorque « que ça ne vaut pas la peine d'inscrire les Mexicains ». Cela ne suffit peut-être pas. Bill, cette nuit-là, étend sa couverture près du cadavre et dort jusqu'à l'aube, ostensiblement.

MORTS PAR CAPRICE

Cette heureuse détonation (à l'âge de quatorze ans) engendra Billy The Kid le Héros et fit mourir le furtif Bill Harrigan. Le gamin du cloaque et des coups de bouteille fut promu pionnier. Il devint cavalier ; il apprit à se dresser droit sur les étriers de son cheval, à la façon du Wyoming ou du Texas, et non pas le corps rejeté en arrière comme en Californie ou dans l'Oregon. Il ne ressembla jamais complètement à sa légende, mais il s'en rapprocha peu à peu.

---

9. **porque sí :** m. à m. *parce que c'est comme ça.*
10. **muchachuelo,** formé à partir de **muchacho** et du suffixe diminutif **-uelo.** Ce suffixe est aujourd'hui en déclin et concerne principalement des noms ou adjectifs qualificatifs de deux syllabes se terminant par une voyelle autre que **e** ou de trois syllabes terminés par n'importe quelle voyelle.
11. notez la construction du verbe **ascender,** avec la préposition **a.**
12. **hacerse** + un nom exprime un changement volontaire ou une transformation progressive *(devenir).*
13. le semi-auxiliaire **ir** + gérondif pour marquer le caractère progressif d'une action.

Algo del compadrito de New York perduró en el *cowboy* ; puso[1] en los mejicanos el odio que antes le inspiraban los negros, pero las últimas palabras que dijo fueron (malas) palabras en español. Aprendió el arte vagabundo de los troperos[2]. Aprendió el otro, más difícil, de mandar hombres ; ambos lo ayudaron a ser un buen ladrón de hacienda. A veces, las guitarras y los burdeles de Méjico lo arrastraban.

Con la lucidez atroz del insomnio, organizaba populosas orgías que duraban cuatro días y cuatro noches. Al fin, asqueado, pagaba la cuenta a balazos. Mientras el dedo del gatillo no le falló[3] fue el hombre más temido (y quizá más nadie y más solo[4]) de esa frontera. Garrett, su amigo, el sheriff que después lo mató, le dijo una vez : « Yo he ejercitado mucho la puntería[5] matando búfalos. » « Yo la he ejercitado más, matando hombres », replicó suavemente. Los pormenores[6] son irrecuperables, pero sabemos que debió hasta veintiuna muertes — « sin contar mejicanos ». Durante siete arriesgadísimos años practicó ese lujo : el coraje.

La noche del 25 de julio de 1880, Billy the Kid atravesó al galope de su overo[7] la calle principal, o única, de Fort Summer. El calor apretaba[8] y no habían encendido las lámparas ; el comisario Garrett, sentado en un sillón de hamaca[9] en un corredor[10], sacó el revólver y le descerrajó[11] un balazo[12] en el vientre.

---

1. **puso :** passé simple irrégulier de **poner** *(mettre, placer)*.
2. **tropero :** *bouvier,* est un argentinisme ; de **tropa,** *troupeau.* En castillan, on dirait **rebaño** ou **manada** pour traduire *troupeau.*
3. **mientras... no le falló :** bien que l'action de la subordonnée soit postérieure à celle de la principale, l'espagnol admet l'indicatif après **mientras** ou **en tanto** pour traduire le français *tant que.*
4. **solo** (sans accent) : l'adjectif *seul ;* avec un accent sur le premier **o** : l'adverbe *seulement.*
5. **puntería :** du verbe **apuntar** : *viser.*
6. **pormenor :** synonyme de **detalle.**
7. **el overo :** le cheval *aubère,* c'est-à-dire dont la robe est mélangée de poils blancs et de poils rouges.

Quelque chose du petit voyou de New York subsista dans le cow-boy ; il témoigna aux Mexicains la même haine que lui inspiraient autrefois les nègres, mais les dernières paroles qu'il prononça furent des paroles (obscènes) en espagnol. Il apprit l'art vagabond des bouviers — et l'autre, plus difficile, de commander les hommes ; l'un et l'autre l'aidèrent à devenir un bon voleur de troupeaux. Parfois, les guitares et les bordels du Mexique l'entraînaient.

Avec l'atroce lucidité de l'insomnie, il organisait de populeuses orgies qui duraient quatre jours et quatre nuits. A la fin, dégoûté, il payait la note à coups de revolver. Tant que son doigt resta ferme sur la détente, il fut l'homme le plus redouté (et peut-être le plus obscur et le plus seul) de cette frontière. Garrett, son ami, le shérif qui le tua par la suite, lui dit une fois : « J'ai beaucoup exercé mon adresse en tuant des buffles. » « Moi, je l'ai exercée davantage, en tuant des hommes », rétorqua-t-il d'une voix suave. Les détails manquent, mais nous savons que sa dette atteignit vingt et une morts — « sans compter les Mexicains ». Tout au long de sept années très périlleuses il s'adonna à ce luxe : le courage.

La nuit du 25 juillet 1880, Billy The Kid traversa au galop de son cheval aubère la rue principale, ou unique, de Fort Summer. La chaleur était lourde et les lampes n'étaient pas allumées ; le commissaire Garrett, assis sur un fauteuil à bascule, dans une galerie ouverte, sortit son revolver et lui tira une balle dans le ventre.

---

8. **apretar :** *serrer, presser, comprimer.*
9. **sillón de hamaca :** argent. ; *fauteuil à bascule (***mece-dora** en Espagne).
10. **corredor :** *couloir* (**pasillo**) ou *galerie* ouverte faisant le tour de la maison.
11. **descerrajar :** *forcer une serrure* (de **cerrojo, verrou**), est familier dans le sens de *tirer* (un coup de feu).
12. **balazo :** *un coup de feu,* de **bala** *(balle)* + -azo.

El overo siguió ; el jinete se desplomó[1] en la calle de tierra. Garrett le encajó[2] un segundo balazo. El pueblo (sabedor de que el herido era Billy the Kid) trancó bien las ventanas. La agonía fue larga y blasfematoria. Ya con el sol bien alto, se fueron acercando y lo desarmaron ; el hombre estaba muerto. Le notaron ese aire de cachivache[3] que tienen los difuntos.

Lo afeitaron, lo envainaron en ropa hecha[4] y lo exhibieron al espanto y las burlas en la vidriera[5] del mejor almacén.

Hombres a caballo o en tílbury acudieron de leguas a la redonda. El tercer día lo tuvieron que maquillar. El cuarto día lo enterraron con júbilo.

---

1. **desplomarse :** *s'effondrer,* de **plomo :** *plomb.*
2. **encajar :** *emboîter ; assener* (**encajar un puñetazo**) ; *refiler* (**encajar una moneda falsa**) ; *encaisser* (**encajar un gol**) ; il s'agit, dans ce dernier cas, d'un gallicisme utilisé par le langage sportif.
3. **cachivache :** au sens propre, *ustensile, récipient, babiole.* Au sens figuré et familier, *un pauvre type.*
4. **hecha :** participe passé irrégulier de **hacer.**
5. **la vidriera :** *vitrine,* est un américanisme. En Espagne on dirait **escaparate.**

Le cheval poursuivit sa route ; le cavalier s'écroula dans la rue en terre battue. Garrett lui logea une seconde balle. Le village (sachant que le blessé était Billy The Kid) barricada soigneusement ses fenêtres. L'agonie fut longue et blasphématoire. Le soleil était déjà bien haut dans le ciel lorsqu'ils s'approchèrent peu à peu de lui et le désarmèrent ; l'homme était mort. Ils remarquèrent chez lui cette allure de minable que possèdent les défunts.

Ils le rasèrent, lui enfilèrent des vêtements de confection et l'exposèrent, à l'épouvante et aux moqueries, dans la vitrine du meilleur magasin.

On vit arriver des hommes à cheval ou en tilbury de plusieurs lieues à la ronde. Le troisième jour, on dut le maquiller. Le quatrième, il fut enterré dans l'allégresse générale.

Révisions

Vous avez rencontré dans cette histoire l'équivalent des expressions françaises suivantes.
Vous en souvenez-vous ?

1. A sa mort, il était redevable à la justice de vingt et un crimes.
2. Les nuits exhalant une odeur de brouillard.
3. Parfois, une femme renversait un seau sur la tête d'un passant.
4. Les hommes montraient ostensiblement de grandes pièces en argent.
5. Il pense en demander un autre, peut-être parce qu'il ne lui reste pas un centime.
6. L'ivrogne continue à chanter, insignifiant.
7. Le gamin fut promu au rang de pionnier.
8. On raconte qu'il fut élevé au milieu des nègres.
9. Telles furent les années d'apprentissage de Billy.
10. Il aimait assister aux mélodrames.
11. L'Amérique subissait alors l'attraction de l'Ouest.
12. Le Mexicain souhaite le bonsoir à tous ceux qui boivent.
13. Billy garde le couteau de ce quidam.
14. La chaleur était pesante et on n'avait pas allumé les lampes.

1. Al morir, debía a la justicia veintiún crímenes.
2. Las noches con olor a niebla.
3. A veces, una mujer volcaba un balde sobre la cabeza de un transeúnte.
4. Los hombres hacían ostentación de grandes monedas de plata.
5. Piensa pedir otro más, acaso porque no le queda un centavo.
6. El borracho sigue cantando, insignificante.
7. El muchacho ascendió a hombre de frontera.
8. Dicen que se crió entre negros.
9. Tales fueron los años de aprendizaje de Billy.
10. Le gustaba asistir a los melodramas.
11. América sufría entonces la atracción del Oeste.
12. El mejicano desea las buenas noches a todos los que están bebiendo.
13. Billy se queda con la navaja de ese alguien.
14. El calor apretaba y no habían encendido las lámparas.

El incivil maestro de ceremonias
Kotsuké no Suké

*L'incivil maître de cérémonies,
Kotsuké no Suké*

El infame de este capítulo es el incivil maestro de ceremonias Kotsuké no Suké, aciago [1] funcionario que motivó la degradación y la muerte del señor de la Torre de Ako y no se quiso eliminar como un caballero [2] cuando la apropiada venganza lo conminó [3]. Es hombre que merece la gratitud de todos los hombres, porque despertó preciosas lealtades y fue la negra y necesaria ocasión de una empresa inmortal. Un centenar de novelas, de monografías, de tesis doctorales y de óperas conmemoran el hecho — para no hablar de las efusiones en porcelana [4], en lapislázuli veteado y en laca. Hasta el versátil celuloide lo sirve, ya que la Historia Doctrinal de los Cuarenta y Siete Capitanes — tal es su nombre — es la más repetida inspiración del cinematógrafo japonés. La minuciosa gloria que esas ardientes atenciones afirman es algo más que justificable : es inmediatamente justa para cualquiera.

Sigo la relación [5] de A. B. Mitford, que omite las continuas distracciones que obra [6] el color local y prefiere atender al movimiento del glorioso episodio. Esa buena falta de « orientalismo » deja sospechar que se trata de una versión directa del japonés.

---

1. **aciago :** *funeste,* est synonyme de **infausto, de mal agüero :** *de mauvais augure.*
2. **caballero :** ici, *gentilhomme,* mais il peut aussi signifier le contraire de **señora** *(monsieur),* avec des connotations sociales moins marquées que **señor.** On pourra également le traduire par homme dans des expressions telles que **zapatos de caballero** (**zapatos de hombre** serait employé, par exemple, pour un jeune garçon s'achetant enfin ses premières chaussures d'homme, d'adulte).
3. **conminar :** *intimer l'ordre.*
4. **efusiones en porcelana :** savoureuse formule, où l'émotion qui engendre l'objet se retrouve enfermée dans celui-ci. **En** (pour introduire une caractéristique essentielle) est un gallicisme : **de** est la seule préposition admise dans ce cas par la grammaire espagnole.

L'être abject de ce chapitre est l'incivil maître de cérémonies Kotsuké no Suké, funeste fonctionnaire qui provoqua la dégradation et la mort du seigneur de la Tour de Ako et refusa de s'éliminer en gentilhomme, ainsi que l'exigeait une juste vengeance. C'est un homme qui mérite la gratitude de tous les hommes, car il suscita de précieuses marques de loyauté et fut le noir et nécessaire prétexte d'une entreprise immortelle. Une centaine de romans, de monographies, de thèses doctorales et d'opéras commémorent l'épisode — sans parler des effusions en porcelaine, en lapis-lazuli veiné et en laque. Jusqu'à la versatile pellicule qui le célèbre, puisque l'*Histoire Doctrinale des Quarante-sept Capitaines* — tel est son nom — est la source d'inspiration la plus fréquente du cinématographe japonais. La gloire minutieuse dont témoignent ces ardentes apologies est plus que justifiée : elle apparaît immédiatement légitime à quiconque.

Je m'en tiens au récit de A.B. Mitford, qui omet les digressions continuelles exigées par la couleur locale et préfère favoriser le mouvement de cette glorieuse péripétie. Cette heureuse absence d'« orientalisme » laisse supposer qu'il s'agit d'une version directement traduite du japonais.

---

5. **sigo la relación :** jeu de miroirs très borgésien ; l'auteur s'en tient au récit d'un certain Mitford, qui copie lui-même directement la version japonaise, ce qui exclut (soit dit en passant) tout orientalisme dans son texte ; superbe exercice de critique-fiction où la critique littéraire se moque d'elle-même en démontant ses propres mécanismes.
6. **obrar :** v. tr., *faire, bâtir.* V. intr., *agir, se trouver* (**obra en mi poder su carta del :** *j'ai bien reçu votre lettre du*).

En la desvanecida[1] primavera de 1702 el ilustre señor de la Torre de Ako tuvo que recibir y agasajar[2] a un enviado imperial. Dos mil trescientos años de cortesía (algunos mitológicos), habían complicado angustiosamente el ceremonial de la recepción. El enviado representaba al emperador, pero a manera de alusión o de símbolo : matiz[3] que no era menos improcedente recargar que atenuar. Para impedir errores harto[4] fácilmente fatales, un funcionario de la corte de Yedo lo precedía en calidad de maestro de ceremonias. Lejos de la comodidad cortesana[5] y condenado a una *villégiature*[6] montaraz, que debió parecerle un destierro, Kira Kotsuké no Suké impartía, sin gracia, las instrucciones. A veces dilataba hasta la insolencia el tono magistral. Su discípulo, el señor de la Torre, procuraba disimular[7] esas burlas. No sabía replicar y la disciplina le vedaba[8] toda violencia. Una mañana, sin embargo[9], la cinta del zapato del maestro se desató y éste le pidió que la atara. El caballero lo hizo con humildad, pero con indignación interior. El incivil maestro de ceremonias le dijo que, en verdad, era incorregible y que sólo un patán[10] era capaz de frangollar[11] un nudo tan torpe. El señor de la Torre sacó la espada y le tiró un hachazo. El otro huyó, apenas rubricada[12] la frente por un hilo tenue de sangre...

---

1. **desvanecida :** participe passé de **desvanecer** *(dissiper, effacer),* qui se conjugue comme **parecer** (desvanezco...).

2. **agasajar :** *accueillir chaleureusement, s'empresser auprès de.*

3. **el matiz :** *la nuance,* est masculin en espagnol.

4. **harto :** peut être adj. (*rassasié, lassé ;* **estar harto de algo** : *en avoir assez*) ou adv., auquel cas il équivaut à **bastante,** *assez,* ou à **demasiado,** *trop.*

5. **cortesano :** de **corte,** *résidence des rois.* **El cortesano :** *le courtisan.*

6. *villégiature* se traduit en espagnol par **veraneo ;** les Français étant censés être des gens raffinés, Borges s'amuse à employer ce gallicisme pour insister sur la déception du maître de cérémonies exilé au milieu de ces rustauds.

Au cours de ce printemps enfui de 1702, l'illustre seigneur de la Tour de Ako dut recevoir et honorer un émissaire impérial. Deux mille trois cents années de courtoisie (dont quelques-unes mythologiques) avaient compliqué de façon angoissante le cérémonial de la réception. L'émissaire représentait l'empereur, mais sous forme d'allusion ou de symbole : nuance qu'il était tout aussi inconvenant de souligner que d'atténuer. Afin d'empêcher des erreurs trop aisément fatales, un fonctionnaire de la cour de Yedo le précédait en qualité de maître de cérémonies. Loin du confort de la cour et condamné à une villégiature agreste qu'il avait dû ressentir comme un exil, Kira Kotsuké no Suké distribuait, de mauvaise grâce, les instructions. Parfois il exagérait, jusqu'à l'insolence, son ton magistral. Son disciple, le seigneur de la Tour, s'efforçait d'ignorer ces sarcasmes. Il n'avait pas l'esprit de repartie et la discipline lui interdisait toute violence. Un matin, cependant, le ruban du soulier du maître se dénoua et celui-ci lui demanda de le rattacher. Le gentilhomme s'exécuta humblement, mais tremblant d'indignation intérieure. L'incivil maître de cérémonies lui dit alors qu'il était, en vérité, incorrigible et que seul un lourdaud de paysan était capable de saloper un nœud aussi maladroit. Le seigneur de la Tour tira son épée et lui en administra un grand coup. L'autre prit la fuite, le front à peine marqué par un mince filet de sang...

---

7. **disimular** ne signifie pas ici *dissimuler* mais *tolérer* en affectant d'ignorer.
8. **vedar :** *interdire,* est un synonyme de **prohibir** ou **impedir**.
9. **sin embargo, con todo, no obstante :** *néanmoins.*
10. terme familier et péjoratif pour désigner les paysans.
11. **frangollar** est également familier : le maître de cérémonies s'énerve et devient franchement vulgaire.
12. **rubricar :** *parapher, signer.* Notez la construction : le participe passé doit précéder le sujet.

Días después [1] dictaminaba [2] el tribunal militar contra el heridor [3] y lo condenaba al suicidio. En el patio central de la Torre de Ako elevaron una tarima de fieltro rojo y en ella se mostró el condenado y le entregaron un puñal de oro y piedras y confesó públicamente su culpa y se fue desnudando hasta la cintura, y se abrió el vientre, con las dos heridas rituales, y murió como un *samurai*, y [4] los espectadores más alejados no vieron sangre porque el fieltro era rojo. Un hombre encanecido y cuidadoso lo decapitó [5] con la espada : el consejero Kuranosuké, su padrino.

EL SIMULADOR DE LA INFAMIA

La Torre de Takumi no Kami fue confiscada ; sus capitanes desbandados, su familia arruinada y oscurecida [6], su nombre vinculado a la execración. Un rumor quiere que la idéntica [7] noche que se mató cuarenta y siete de sus capitanes deliberaran en la cumbre de un monte y planearan [8], con toda precisión, lo que se produjo un año más tarde. Lo cierto es que debieron proceder entre justificadas demoras y que alguno de sus concilios tuvo lugar, no en la cumbre difícil de una montaña, sino en una capilla en un bosque, mediocre pabellón de madera blanca, sin otro adorno que la caja rectangular que contiene un espejo. Apetecían [9] la venganza y la venganza debió [10] parecerles inalcanzable.

---

1. **días después :** l'article indéfini pluriel n'existe pas à proprement parler en espagnol ; **unos** a généralement une valeur restrictive et l'indéfinition la plus grande est exprimée par la construction sans article.
2. **dictaminar :** *émettre un jugement ;* **pronunciar un veredicto** ou **fallar :** *rendre un verdict.*
3. **heridor :** de **herir,** *blesser.*
4. **y :** répétition voulue par l'auteur afin de donner du souffle au récit de ce suicide.
5. **decapitó :** ainsi s'achève le seppuku, privilège accordé aux samouraï condamnés à mort.
6. **oscurecida :** participe passé du verbe **oscurecer,** *obscurcir ;* conjugaison sur le modèle de **parecer (oscurezca** au subj.).

Quelques jours plus tard, le tribunal militaire rendait son verdict et condamnait l'agresseur au suicide. Dans la cour centrale de la Tour de Ako on dressa une estrade recouverte de feutre rouge ; le condamné apparut ; on lui remit un poignard fait d'or et de pierres précieuses. Il confessa publiquement sa faute et se déshabilla peu à peu jusqu'à la ceinture et s'ouvrit le ventre, avec les deux blessures rituelles, et mourut tel un samouraï, et les spectateurs ne virent pas couler le sang car le feutre était rouge. Un homme grisonnant et méticuleux le décapita avec son épée : le conseiller Kuranosuké, son parrain.

LE SIMULATEUR DE L'INFAMIE

La Tour de Takumi no Kami fut confisquée, ses capitaines éparpillés, sa famille ruinée et déchue, son nom voué à l'exécration. Une rumeur veut que, la nuit même où il se tuait, quarante-sept de ses capitaines délibéraient au sommet d'une montagne et projetaient, avec une totale précision, ce qui allait se produire un an plus tard. A vrai dire, il leur fallut un délai compréhensible pour agir et certains de leurs conciles se déroulèrent, non au sommet difficile d'accès d'une montagne, mais dans un temple au fond d'un bois, médiocre pavillon en bois blanc, sans autre ornement que la boîte rectangulaire contenant un miroir. Ils avaient soif de vengeance et la vengeance avait dû leur sembler inaccessible.

---

7. **idéntica** est mis ici pour **misma** ou **mismísima**.

8. **un rumor quiere que... deliberaran... y planearan :** contrairement aux apparences, il n'y a pas ici une entorse à la grammaire espagnole. **Querer** n'exprime ni un souhait ni un ordre et se contente de présenter un fait plus ou moins hypothétique ; les deux imparfaits du subjonctif suivant équivalent donc à des plus-que-parfaits de l'indicatif.

9. **apetecer :** *avoir envie de quelque chose* (**apetezco salir por las tardes :** *j'aime sortir l'après-midi*) ou *susciter une envie* (**me apetecen estas patatas fritas :** *j'ai envie de manger des frites*).

10. **debió :** en principe, **deber** + inf. exprime l'obligation morale et **deber de** + inf. une éventualité, mais nombreux sont les exemples, dont celui-ci, de confusion entre ces deux formes.

Kira Kotsuké no Suké, el odiado maestro de ceremonias, había fortificado su casa y una nube de arqueros y de esgrimistas [1] custodiaba su palanquín. Contaba con espías incorruptibles, puntuales y secretos. A ninguno celaban [2] y vigilaban como al presunto capitán de los vengadores : Kuranosuké, el consejero. Éste lo advirtió [3] por azar y fundó su proyecto vindicatorio sobre ese dato.

Se mudó [4] a Kioto, ciudad insuperada en todo el imperio por el color de sus otoños. Se dejó arrebatar [5] por los lupanares [6], por las casas de juego y por las tabernas. A pesar de sus canas, se codeó [7] con rameras y con poetas, y hasta con [8] gente peor [9]. Una vez lo expulsaron de una taberna y amaneció dormido en el umbral, la cabeza revolcada [10] en un vómito.

Un hombre de Satsuma lo conoció, y dijo con tristeza y con ira : *¿ No es éste, por ventura, aquel [11] consejero de Asano Takumi no Kami, que lo ayudó a morir y que en vez de vengar a su señor se entrega a los deleites y a la vergüenza ? ¡ Oh, tú, indigno del nombre de Samurai !*

Le pisó la cara [12] dormida y se la escupió. Cuando los espías denunciaron esa pasividad, Kotsuké no Suké sintió un gran alivio.

---

1. **esgrimistas** : de esgrimir, *se servir d'une arme, faire valoir ;* **eseguir un argumento** : *présenter un argument.* La forme **esgrimista** est un amér. En Espagne on dirait esgrimidor.

2. **celar** est ici synonyme de **custodiar** ou **vigilar** ; il peut également se traduire par *celer*, **ocultar**. Celoso : *zélé* ou *jaloux ;* **la celosía** : *la jalousie,* type de fenêtre ; **los celos** : *la jalousie* (en amour).

3. **advirtió** : du verbe **advertir** (conjugaison irrégulière sur le modèle de **sentir** : **advierto, advirtamos,** etc.) : plus courant dans le sens de *remarquer* que dans celui d'*avertir* (**avisar**).

4. **mudar** : *changer ;* **mudarse** : *déménager* ou *changer de vêtement* (**ropa**).

5. **arrebatarse** existe aussi : *se mettre en colère.*

Kira Kotsuké no Suké, le maître de cérémonies abhorré, avait fortifié sa maison et une nuée d'archers et de spadassins gardait son palanquin. Il comptait sur des espions incorruptibles, ponctuels et secrets. Personne n'était autant guetté et surveillé que le présumé capitaine des vengeurs : Kuranosuké, le conseiller. Celui-ci le découvrit par hasard et fonda son projet vindicatif sur cette donnée.

Il déménagea à Kyoto, cité insurpassable dans tout l'Empire pour la couleur de ses automnes. Il se laissa entraîner par les lupanars, les maisons de jeu et les tavernes. En dépit de ses cheveux blancs, il fréquenta les prostituées et les poètes, et parfois des gens bien pis. Un soir, on l'expulsa d'une taverne et l'aurore le surprit endormi sur le seuil, le nez plongé dans les vomissures.

Un homme de Satsuma le reconnut et dit avec tristesse et colère : « *Cet individu n'est-il pas, par hasard, cet illustre conseiller de Asano Takumi no Kami, qui l'aida à mourir et qui, au lieu de venger son seigneur, se livre aux jouissances et à la honte ? Ô toi, indigne du nom de samouraï !* »

Il piétina son visage endormi et lui cracha dessus. Lorsque les espions lui révélèrent cette passivité, Kotsuké no Suké éprouva un grand soulagement.

---

6. **lupanar** est littéraire dans les deux langues.

7. **codear** : *jouer des coudes*. **Codearse con** : *côtoyer, fréquenter*. Notez la construction : **codearse** + **con**.

8. **hasta con** : **hasta** est ici l'équivalent de *même* (**mismo, incluso**).

9. **rameras... peor** : *les putains, les poètes et des gens bien pis...* L'époque de François Villon étant révolue, cette progression fait aujourd'hui sourire.

10. **revolcada** : participe passé de **revolcar**, *renverser*. **Revolcarse** : *se vautrer*.

11. on retrouve la valeur laudative du démonstratif **aquel**.

12. **le pisó la cara** : le pronom personnel, complément d'attribution, tient lieu d'adjectif possessif.

Los hechos no pararon ahí. El consejero despidió[1] a su mujer y al menor de sus hijos y compró una querida[2] en un lupanar, famosa infamia que alegró el corazón y relajó la temerosa prudencia del enemigo. Éste acabó por despachar la mitad de sus guardias.

Una de las noches atroces del invierno de 1703 los cuarenta y siete capitanes se dieron cita en un desmantelado jardín de los alrededores de Yedo, cerca de un puente y de la fábrica de barajas[3]. Iban con las banderas de su señor. Antes de emprender el asalto, advirtieron a los vecinos que no se trataba de un atropello[4], sino[5] de una operación militar de estricta justicia.

LA CICATRIZ

Dos bandas atacaron el palacio de Kira Kotsuké no Suké. El consejero comandó la primera, que atacó la puerta del frente[6]; la segunda, su hijo mayor, que estaba por[7] cumplir dieciséis años[8] y que murió esa noche. La historia sabe[9] los diversos momentos de esa pesadilla tan lúcida : el descenso arriesgado y pendular por las escaleras de cuerda, el tambor del ataque, la precipitación de los defensores, los arqueros apostados en la azotea[10], el directo destino de las flechas hacia los órganos vitales del hombre, las porcelanas infamadas[11] de sangre, la muerte ardiente que después es glacial, los impudores y desórdenes de la muerte[12].

1. **despidió** : passé simple irrégulier de **despedir** (conjugaison sur le modèle de **pedir**), *congédier* ou *licencier ;* **el despido** : *le licenciement.*
2. le nom **querida** (du verbe **querer**, *aimer*) désigne une femme avec laquelle on entretient des amours interdites.
3. **baraja** : *jeu de cartes ;* **jugar con dos barajas** : *jouer double jeu.*
4. **atropello** : du verbe **atropellar** ; *renverser* ou (sens figuré) *piétiner, outrager,* d'où cette signification de violation des lois.
5. **sino,** en raison de la négation qui précède.
6. **la puerta del frente** : la porte de la façade principale.
7. **estar por** : équivalent de **estar para**, *être sur le point de.*

L'histoire ne s'arrêta pas là. Le conseiller congédia sa femme et le puîné de ses enfants et s'acheta une petite amie dans un lupanar, infamie célèbre qui réjouit le cœur et relâcha la craintive prudence de l'ennemi. Ce dernier finit par renvoyer la moitié de ses gardes.

Par une atroce nuit de l'hiver 1703, les quarante-sept capitaines se donnèrent rendez-vous dans un jardin abandonné des environs de Yedo, près d'un pont et de la fabrique de cartes à jouer. Ils arboraient les bannières de leur seigneur. Avant de livrer l'assaut, ils avertirent le voisinage qu'il ne s'agissait pas d'une agression délictueuse mais d'une opération militaire de stricte justice.

LA CICATRICE

Deux bandes attaquèrent le palais de Kira Kotsuké no Suké. Le conseiller commandait la première, qui chargea la porte du milieu ; la seconde était sous les ordres de son fils aîné, sur le point de fêter son seizième anniversaire et qui mourut cette nuit-là. L'histoire a conservé les divers épisodes de ce cauchemar si lucide : la descente périlleuse et oscillante par les échelles de corde, les roulements de tambour de l'assaut, la précipitation des défenseurs, les archers postés sur la terrasse, les flèches directement lancées vers les organes vitaux de l'homme, les porcelaines souillées de sang, la mort d'abord brûlante puis glaciale, les impudeurs et désordres de la mort.

---

8. **cumplir dieciséis años :** *avoir seize ans,* d'où **el cumpleaños :** *l'anniversaire* de la naissance.
9. **saber :** *savoir, apprendre* ou *connaître.*
10. **la azotea** désigne *la terrasse* située sur le toit de la maison, sinon : **terraza.**
11. **infamar :** *rendre infâme,* n'a qu'une valeur morale.
12. remarquez la puissance d'évocation de Borges ; comment, par le choix de quelques mots, et notamment celui des adjectifs **(pesadilla lúcida, porcelana infamada de sangre, muerte ardiente y después glacial)**, il suggère, plutôt qu'il ne raconte, l'horreur de ce combat nocturne, laissant ainsi libre cours à l'imagination du lecteur.

Nueve capitanes murieron ; los defensores no eran menos valientes y no se quisieron rendir[1]. Poco después de media noche toda resistencia cesó.

Kira Kotsuké no Suké, razón ignominiosa de esas lealtades, no aparecía. Lo buscaron por todos los rincones[2] de ese conmovido[3] palacio y ya desesperaban de encontrarlo cuando el consejero notó[4] que las sábanas[5] de su lecho estaban aún tibias. Volvieron a buscar[6] y descubrieron una estrecha ventana, disimulada por un espejo de bronce. Abajo, desde un patiecito sombrío, los miraba un hombre de blanco. Una espada temblorosa estaba en su diestra. Cuando bajaron, el hombre se entregó sin pelear. Le rayaba la frente una cicatriz : viejo dibujo del acero de Takumi no Kami.

Entonces, los sangrientos capitanes se arrojaron a los pies del aborrecido y le dijeron que eran los oficiales del señor de la Torre, de cuya perdición y cuyo fin[7] él[8] era culpable, y le rogaron[9] que se suicidara, como un *samurai* debe[10] hacerlo.

En vano propusieron ese decoro[11] a su ánimo servil. Era varón inaccesible al honor ; a la madrugada[12] tuvieron que degollarlo[13].

---

1. **rendir :** *vaincre, épuiser* (agotar) ; **estoy rendido :** *je suis épuisé.* **Rendirse :** *se soumettre* (someterse).

2. **por todos los rincones :** por, devant un complément de lieu (et non pas **en**) pour marquer l'idée de mouvement dans un lieu déterminé.

3. **conmovido :** du verbe **conmover**, *émouvoir, perturber.*

4. **notar** se traduit souvent par *remarquer* (observar, advertir). Il peut aussi avoir le sens de *noter* (tomar notas, anotar, apuntar).

5. **sábanas** ou de l'importance des accents en espagnol : ici, *le drap ;* sans accent écrit : *la savane.*

6. **volver a** + inf. : pour rendre une idée de répétition, le préfixe -re n'existant que dans peu de cas. Cette même idée peut également être rendue en ajoutant au verbe les locutions adverbiales **de nuevo** ou **otra vez**.

7. **de cuya perdición y cuyo fin... :** m. à m. *de la perte et de la fin duquel il était coupable.*

132

Neuf capitaines périrent ; les défenseurs n'étaient pas moins courageux et refusèrent de se rendre. Toute résistance cessa peu après minuit.

Kira Kotsuké no Suké, cause ignominieuse de ces témoignages de loyauté, ne se montrait pas. On le chercha dans tous les recoins de ce palais bouleversé et on désespérait déjà de le trouver lorsque le conseiller remarqua les draps de son lit encore tièdes. Les recherches reprirent et ils découvrirent une étroite lucarne, dissimulée derrière un miroir en bronze. En bas, depuis une petite cour obscure, un homme vêtu de blanc les regardait, une épée tremblotante dans sa dextre. Quand ils descendirent, l'homme se livra sans combattre. Son front était barré d'une cicatrice, vieille marque de l'acier de Takumi no Kami.

Alors les capitaines ensanglantés se jetèrent aux pieds de l'abhorré et lui dirent être les officiers du seigneur de la Tour, dont il avait provoqué la déchéance et la fin, et ils le supplièrent de se suicider, ainsi qu'un *samouraï* doit le faire.

En vain proposèrent-ils cette digne attitude à son âme servile. L'homme était inaccessible à l'honneur ; à l'aurore, ils durent se résoudre à l'égorger.

---

8. notez l'accent sur **él** : il s'agit du pronom personnel et non de l'article défini.

9. **rogar :** *prier* au sens de *supplier ;* **rezar :** *prier* (faire une prière). **No te hagas de rogar :** *ne te fais pas prier.*

10. **debe** prend ici toute sa valeur d'obligation morale.

11. **decoro :** *respect, dignité.*

12. **madrugada :** du verbe **madrugar,** *se lever tôt.* **A quien madruga Dios le ayuda :** *aide-toi, le ciel t'aidera.*

13. **tuvieron que degollarlo : tener que** + inf. pour exprimer une obligation catégorique, imposée du dehors. S'ils l'égorgent, c'est vraiment parce qu'ils ne peuvent pas faire autrement.

Ya satisfecha su venganza[1] (pero sin ira[2], y sin agitación, y sin lástima), los capitanes se dirigieron al templo que guarda las reliquias de su señor.

En un caldero llevan[3] la increíble cabeza de Kira Kotsuké no Suké y se turnan para cuidarla[4]. Atraviesan los campos y las provincias, a la luz sincera[5] del día. Los hombres los bendicen[6] y lloran. El príncipe de Sendai los quiere hospedar, pero responden que hace casi dos años que los aguarda su señor. Llegan al oscuro sepulcro y ofrendan la cabeza del enemigo.

La Suprema Corte emite su fallo[7]. Es el que esperan : se les otorga el privilegio de suicidarse. Todos lo cumplen, algunos con ardiente serenidad[8], y reposan al lado de su señor. Hombres y niños vienen a rezar al sepulcro de esos hombres tan fieles.

EL HOMBRE DE SATSUMA

Entre los peregrinos[9] que acuden, hay un muchacho polvoriento y cansado que debe haber venido de lejos. Se prosterna ante el monumento[10] de Oishi Kuranosuké, el consejero, y dice en voz alta :

---

1. **ya satisfecha su venganza** : satisfecha est le participe passé du verbe **satisfacer** (conjugaison sur le modèle de **hacer** : satisfago, satisfice, satisfaré, satisfaga, satisficiera, etc.). Notez la construction de la proposition participe : le verbe doit précéder le sujet. Il en va de même pour une proposition gérondive : **llegando el hombre a casa,** *alors que l'homme arrivait chez lui.*
2. **ira** est ici synonyme de **cólera, rabia**. Iracundo : *coléreux, irascible.*
3. **llevan** : l'auteur passe maintenant au présent de narration, afin de renforcer le caractère presque haletant de cette marche.
4. **se turnan para cuidarla** : *ils se relaient pour la veiller.*
5. **sincera**, bien sûr, ne s'applique qu'aux personnes : une de ces hypallages dont Borges est friand.
6. **bendicen** : de **bendecir**, *bénir.* Conjugaison comme

Leur vengeance désormais satisfaite (mais sans colère, et sans agitation, et sans regret), les capitaines se rendirent au temple qui conservait les reliques de leur seigneur.

Dans un chaudron ils portent l'incroyable tête de Kira Kotsuké no Suké et la veillent à tour de rôle. Ils traversent les campagnes et les provinces, à la sincère lumière du jour. Les hommes les bénissent et pleurent. Le prince de Sendai veut les héberger, mais ils répondent que leur seigneur les attend depuis près de deux années. Ils atteignent le sombre sépulcre et donnent en offrande la tête de l'ennemi.

La Cour Suprême rend son verdict. Celui qu'ils espèrent : on leur octroie le privilège de se suicider. Tous l'accomplissent, quelques-uns avec une ardente sérénité, et ils reposent aux côtés de leur seigneur. Des hommes et des enfants viennent prier sur la tombe de ces hommes si fidèles.

L'HOMME DE SATSUMA

Parmi les pèlerins qui accourent, il y a un jeune garçon couvert de poussière et fatigué qui a dû venir de loin. Il se prosterne devant le monument de Oishi Kuranosuké, le conseiller, et dit à voix haute :

---

decir sauf le futur et le conditionnel (**bendeciré, bendeciría**) et les deux participes passés (**bendecido** et **bendito**).

7. **fallo** est ici synonyme de **sentencia** ou **veredicto**. Il peut également signifier *raté* (d'un moteur), *erreur, faute*.

8. **serenidad :** amusante litote, pour dire que la plupart ont dû regimber.

9. **un peregrino** ou **romero :** *un pèlerin.* **Peregrino**, adj., *saugrenu*.

10. **ante el monumento : ante**, comme **tras, sobre** ou **bajo**, se construit directement. En revanche **delante, detrás, encima** et **debajo** sont toujours suivis de la préposition **de**.

Yo [1] *te vi tirado en la puerta de un lupanar de Kioto y no pensé que estabas meditando la venganza de tu señor, y te creí un soldado sin fe y te escupí en la cara. He venido a ofrecerte satisfacción.* Dijo esto y cometió *harakiri* [2].

El prior se condolió [3] de su valentía y le dio sepultura en el lugar donde los capitanes reposan.

Éste es el final de la historia de los cuarenta y siete hombres leales — salvo que no tiene final, porque los otros hombres, que no somos [4] leales tal vez, pero que nunca perderemos del todo la esperanza de serlo, seguiremos honrándolos con palabras [5].

---

1. **yo :** emploi emphatique du pronom personnel sujet, traduit en français par la tournure *c'était moi qui...*
2. **cometió harakiri :** cometer *(commettre, charger de, confier)* signifie aussi créer ou utiliser une figure de rhétorique, sens qui n'a certainement pas échappé à Borges et transforme ainsi l'hara-kiri en exercice de style. Cette succession de suicides finit d'ailleurs par faire sourire, par un effet comique de répétition. L'auteur nous fait partager son ironie, sa distance par rapport au texte.
3. **condolerse** se conjugue comme **volver** ; il est toujours suivi de la préposition de.
4. **los otros hombres, que no somos... :** notez cette construction, rendue en français par la forme emphatique *nous autres, qui ne sommes...*
5. **palabras :** Borges nous rappelle encore une fois qu'il joue avec les mots, et que le lecteur auquel il s'adresse réellement (pas celui du samedi soir) ne doit peut-être pas se laisser prendre au jeu du récit.

« C'était moi qui t'avais vu étendu à la porte d'un lupanar de Kyoto, et je n'avais pas imaginé que tu méditais alors la vengeance de ton seigneur, et je t'avais pris pour un soldat sans foi et je t'avais craché à la figure. Je suis venu te rendre justice. » Après avoir prononcé ces mots, il se fit hara-kiri.

Le prieur compatit à son courage et lui donna une sépulture à l'endroit où reposent les capitaines.

Telle est la fin de l'histoire des quarante-sept hommes loyaux — à ceci près qu'elle n'a pas de fin, car nous autres, qui ne sommes peut-être pas loyaux, mais qui ne perdrons jamais tout espoir de le devenir, nous continuerons à les honorer en paroles.

Révisions

Vous avez rencontré dans cette histoire l'équivalent des expressions françaises suivantes.
Vous en souvenez-vous ?

1. Une nuance qu'il n'était pas moins inopportun de souligner que d'atténuer.
2. Son disciple s'efforçait d'ignorer ces moqueries.
3. Ils avaient soif de vengeance.
4. Celle-ci dut leur sembler impossible à atteindre.
5. Malgré ses cheveux blancs, il fréquenta des poètes.
6. Il finit par renvoyer la moitié de ses gardes.
7. Son fils était sur le point d'avoir seize ans.
8. Toute résistance cessa peu après minuit.
9. On le chercha dans tous les recoins du palais.
10. Le seigneur dont il avait provoqué la perte.
11. Leur vengeance ayant été satisfaite, les capitaines partirent vers le temple.
12. Ils le supplièrent de se suicider.
13. Ils cherchèrent à nouveau et découvrirent une étroite fenêtre.
14. On leur accorda le privilège de mourir.

1. Un matiz que no era menos improducente recargar que atenuar.
2. Su discípulo procuraba disimular esas burlas.
3. Apetecían la venganza.
4. Ésta debió parecerles inalcanzable.
5. A pesar de sus canas, se codeó con poetas.
6. Acabó por despachar la mitad de sus guardias.
7. Su hijo estaba por cumplir dieciséis años.
8. Toda resistencia cesó poco después de medianoche.
9. Lo buscaron por todos los rincones del palacio.
10. El señor de cuya perdición era culpable.
11. Ya satisfecha su venganza, los capitanes se dirigieron al templo.
12. Le rogaron se suicidara.
13. Volvieron a buscar y descubrieron una ventana estrecha.
14. Se les otorgó el privilegio de morir.

El tintorero enmascarado Hákim de Merv

A Angélica Ocampo

Le teinturier masqué Hakim de Merv

Si no me equivoco, las fuentes originales de información acerca de Al Moqanna, el Profeta Velado (o más estrictamente, Enmascarado) del Jorasán, se reducen a cuatro : a) las excertas [1] de la *Historia de los jalifas* conservadas por Baladhuri, b) el *Manual del gigante* o *Libro de la precisión y la revisión* del historiador oficial de los Abbasidas, ibn abi Tair Tarfur, c) el códice [2] árabe titulado *La aniquilación de la rosa*, donde se refutan las herejías abominables de la *Rosa oscura* o *Rosa escondida*, que era el libro canónico [3] del Profeta, d) unas monedas sin efigie desenterradas por el ingeniero Andrusov en un desmonte [4] del Ferrocarril Trascaspiano. Esas monedas fueron depositadas en el Gabinete Numismático de Tehrán y contienen dísticos [5] persas que resumen o corrigen ciertos pasajes de la *Aniquilación*. La Rosa original se ha perdido, ya que el manuscrito encontrado en 1899 y publicado no sin ligereza [6] por el *Morgenländisches Archiv* fue declarado apócrifo por Horn y luego por sir Percy Sykes.

La fama occidental del Profeta se debe a un gárrulo [7] poema de Moore [8], cargado de saudades [9] y de suspiros de conspirador irlandés [10].

---

1. **excerta** ou **excerpta**, *recueil, compilation,* est beaucoup moins courant que ses synonymes **recopilación, colección**.
2. **un códice** est un livre manuscrit ancien, important du point de vue littéraire ou historique.
3. **canónico :** *canonique,* c'est-à-dire établissant la règle, normatif.
4. **desmonte :** *déblaiement, terrassement,* du verbe **desmontar,** *défricher.*
5. **dísticos :** les *distiques* sont des groupes de deux vers formant à eux seuls une maxime ou un énoncé complet.
6. **ligereza :** au figuré, *légèreté de caractère, négligence.*
7. **gárrulo,** *gazouillant,* appartient à la langue poétique.
8. Borges fait ici allusion à une histoire de Moore (1779-1852), tirée de *Lalla-Rookh,* qui l'avait beaucoup impressionné dans son enfance : le poète y racontait la séduction d'une malheureuse captive, Zelica, par le prophète et les

Si je ne m'abuse, les sources originales d'information au sujet de Al Moqanna, le Prophète Voilé (ou, plus strictement, Masqué) du Khorassan se réduisent à quatre : a) les compilations de l'*Histoire des Califes* recueillies par Baladhuri ; b) le *Manuel du Géant* ou *Livre de la Précision et de la Révision* de l'historien officiel des Abassides, Ibn Abi Tair Tarfur ; c) le manuscrit arabe intitulé *L'Anéantissement de la Rose,* où l'on réfute les hérésies abominables contenues dans la *Rose obscure* ou *Rose cachée,* qui était le livre canonique du Prophète ; d) des pièces de monnaie sans effigie exhumées par l'ingénieur Androussov lors des travaux de terrassement pour les Chemins de fer Transcaspiens. Ces pièces furent déposées dans le Cabinet Numismatique de Téhéran ; elles contiennent des distiques persans qui résument ou corrigent certains passages de *L'Anéantissement.* La *Rose* originale a disparu : le manuscrit trouvé en 1899 et publié non sans négligence par le *Morgenländisches Archiv* fut déclaré apocryphe par Horn et ensuite par Sir Percy Sykes.

On doit la renommée occidentale du Prophète à un gazouillant poème de Moore, riche en soupirs et nostalgie de conspirateur irlandais.

---

mauvais traitements que lui infligeait ce dernier. Borges en conserva une profonde et durable horreur pour les masques.
9. **saudade** est un mot d'origine portugaise et équivaut à **nostalgia, añoranza.**
10. savante introduction, d'autant plus qu'il faut ajouter à ces sources celles qui sont citées à la fin de *l'Histoire universelle de l'infamie...* et dont certaines sont pure invention.

A los 120 años de la Hégira[1] y 736 de la Cruz, el hombre Hákim, que los hombres de aquel tiempo y de aquel espacio apodarían[2] luego El Velado, nació en el Turquestán. Su patria fue la antigua ciudad de Merv, cuyos jardines y viñedos y prados miran tristemente al desierto. El mediodía es blanco y deslumbrador, cuando no lo oscurecen nubes de polvo que ahogan a los hombres y dejan una lámina blancuzca en los negros racimos.

Hákim se crió en esa fatigada ciudad. Sabemos que un hermano de su padre lo adiestró[3] en el oficio de tintorero[4] : arte de impíos, de falsarios y de inconstantes que inspiró los primeros anatemas de su carrera pródiga. *Mi cara es de oro* (declara en una página famosa de la Aniquilación) *pero he macerado la púrpura[5] y he sumergido en la segunda noche la lana sin cardar y he saturado en la tercera noche la lana preparada, y los emperadores de las islas aún se disputan esa ropa sangrienta. Así pequé[6] en los años de juventud y trastorné[7] los verdaderos colores de las criaturas. El Ángel me decía que los carneros no eran del color de los tigres, el Satán me decía que el Poderoso quería que lo fueran y se valía[8] de mi astucia[9] y mi púrpura. Ahora yo sé que el Ángel y el Satán erraban[10] la verdad y que todo color es aborrecible[11].*

---

1. l'Hégire, de l'arabe **hedjra**, est la fuite de Mahomet à Médine et marque le début de la chronologie musulmane (622 de l'ère chrétienne).
2. **el apodo** : *le surnom, le sobriquet.*
3. **adiestrar** : *dresser* (un animal) ou *instruire* (instruir) ; adiestrarse : *s'entraîner.*
4. **tintorero** : *teinturier* ; *teindre* : teñir (tiño, teñí, tiña, tiñera, tiñendo, teñido ou tinto). Le participe passé irrégulier tinto peut signifier également *rouge* (el vino tinto).
5. **la púrpura** : *la pourpre,* matière colorante d'un rouge éclatant.
6. **pequé** : du verbe **pecar** ; notez la modification orthographique chaque fois que le c du radical précède un e, afin de conserver le même son.

En l'an 120 de l'Hégire et 736 de la Croix, l'homme Hakim, que les hommes de ce temps-là et de cet espace surnommeraient plus tard Le Voilé, naquit dans le Turkestan. Sa patrie fut l'antique cité de Merv, dont les jardins, les vignes et les prés contemplent tristement le désert. Les milieux de journée y sont d'une blancheur éblouissante, à moins d'être obscurcis par des nuages de poussière qui étouffent les hommes et déposent une pellicule blanchâtre sur les grappes de raisins noirs.

Hakim fut élevé dans cette ville languissante. Nous savons qu'un frère de son père le forma à l'art du teinturier : métier d'impies, de faussaires et d'inconstants qui inspira les premiers anathèmes de sa prodigue carrière. « *Mon visage est en or* (déclare-t-il dans une page restée célèbre de *L'Anéantissement*) *mais j'ai macéré la pourpre et la deuxième nuit j'y ai plongé la laine non cardée et lors de la troisième j'ai imbibé la laine préparée, et les empereurs des îles se disputent encore ces vêtements sanglants. C'est ainsi que j'ai péché pendant mes années de jeunesse et j'ai bouleversé les véritables couleurs des créatures. L'Ange me disait que les moutons n'étaient pas de la même couleur que les tigres, Satan me disait que le Tout-Puissant voulait qu'ils le fussent et il usait de mes artifices et de ma pourpre. Je sais maintenant que l'Ange et le Satan bafouaient la vérité et que toute couleur est exécrable.*

---

7. **trastornar** se traduit par *déranger, bouleverser*, au sens propre et au sens figuré ; **está trastornado** : *il a perdu la tête*.

8. **valer** : *valoir* ; **valerse de** : *se servir de* ; **valerse de todos los medios** : *faire flèche de tout bois*.

9. **astucia** est ici synonyme de **ardid**, **artificio**.

10. **errar** : v. intr., *se tromper* ; v. tr. : *rater*, ne pas faire ce que l'on doit. Attention à la conjugaison ! (**yerro, yerras...**).

11. **aborrecible** : de **aborrecer**, *abhorrer* ; conjugaison sur le modèle de **parecer** (**aborrezco, aborreces...**).

El año 146 de la Hégira, Hákim desapareció de su patria. Encontraron destruídas las calderas[1] y cubas de inmersión, así como un alfanje[2] de Shiraz y un espejo de bronce.

EL TORO

En el fin de la luna de xabán del año 158, el aire del desierto estaba muy claro y los hombres miraban el poniente en busca de[3] la luna de ramadán, que promueve la mortificación y el ayuno[4]. Eran esclavos, limosneros[5], chalanes[6], ladrones de camellos y matarifes. Gravemente sentados en la tierra, aguardan el signo, desde el portón[7] de un paradero de caravanas en la ruta de Merv. Miraban el ocaso, y el color del ocaso era el de la arena.

Del fondo del desierto vertiginoso (cuyo sol da la fiebre, así como[8] su luna da el pasmo[9]) vieron adelantarse tres figuras[10], que les parecieron altísimas. Las tres eran humanas y la del medio tenía cabeza de toro. Cuando se aproximaron, vieron que éste usaba una máscara y que los otros dos eran ciegos.

Alguien (como en los *Cuentos de las Mil y Una Noches*[11]) indagó la razón de esa maravilla[12]. *Están ciegos*, el hombre de la máscara declaró, *porque han visto mi cara*.

---

1. **destruídas las calderas** : notez la place du participe passé, devant le nom auquel il sert d'épithète.

2. **un alfanje** : de l'arabe *aljánchar, un cimeterre,* grand sabre recourbé.

3. **en busca de** ou a la busca de : *en quête de ;* la busca, la búsqueda : *la quête, la recherche ;* la investigación : *l'enquête* ou *la recherche scientifique.*

4. **ayunar** : *jeûner ;* **estar en ayunas** : *être à jeun ;* **desayunar** : *prendre son petit déjeuner.*

5. **limosnero** : de limosna, *aumône ;* **limosnear** ou **mendigar** : *mendier.*

6. en Amérique latine, **chalán** signifie *dresseur de chevaux.*

7. **portón** est un augmentatif de **puerta** (avec le suffixe -ón).

En l'an 146 de l'Hégire, Hakim disparut de sa patrie. On trouva les chaudières et les cuves d'immersion détruites, ainsi qu'un cimeterre de Chiraz et un miroir en bronze.

LE TAUREAU

En l'an 158, à la fin de la lune de Xaban, l'air du désert était limpide et les hommes observaient le couchant, guettant la lune du ramadan, signe de mortification et de jeûne. C'étaient des esclaves, des mendiants, des marchands de chevaux, des voleurs de chameaux et des bouchers. Gravement assis par terre, ils attendaient le signal, devant le porche d'un caravansérail, sur la route de Merv. Ils regardaient le crépuscule, et le crépuscule avait la couleur du sable.

Du fond du désert vertigineux (dont le soleil donne la fièvre, de la même façon que sa lune frappe de stupeur), ils virent s'approcher trois silhouettes, qui leur parurent gigantesques. Les trois étaient humaines mais celle du milieu possédait une tête de taureau. Lorsqu'ils furent tout près, ils découvrirent que ce dernier portait un masque et que les deux autres étaient aveugles.

Quelqu'un (comme dans les *Contes des Mille et Une Nuits*) s'enquit de la raison de cette merveille. *Ils sont aveugles*, répondit l'homme au masque, *parce qu'ils ont vu mon visage.*

---

8. **así como** + ind. : *ainsi que, de la même façon que ;* **así como** + subj. : *dès que* (**así como vengas, saldremos juntos** : *dès que tu viendras, nous sortirons ensemble*).

9. **pasmo** ou **espasmo** : *pâmoison, stupeur.*

10. **figura** se traduit rarement par *figure* (**rostro, cara**), plus souvent par *forme, silhouette* et, au sens figuré, par *personnage, vedette* : **Gardel era la gran figura del tango.**

11. **Mil y Una Noches** : exception à la règle qui veut que l'on ne mette la conjonction **y** qu'entre les dizaines et les unités, car il s'agit d'un titre.

12. **maravilla** : *merveille,* au sens vieilli de prodige ; **maravillarse** : *s'étonner* (**asombrarse**), *s'émerveiller.*

El cronista de los Abbasidas refiere que el hombre
del desierto (cuya voz era singularmente dulce, o así
les pareció por diferir[1] de la brutalidad de su
máscara), les dijo que ellos aguardaban el signo de
un mes de penitencia, pero que él predicaba un signo
mejor : el de toda una vida penitencial y una muerte
injuriada[2]. Les dijo que era Hákim hijo de Osmán, y
que el año 146 de la Emigración había penetrado un
hombre en su casa y luego de purificarse y rezar le
había cortado la cabeza con un alfanje y la había
llevado hasta el cielo. Sobre la derecha mano del
hombre (que era el ángel Gabriel) su cabeza había
estado ante el Señor que le dio misión de profetizar y
le inculcó palabras tan antiguas que su repetición
quemaba las bocas y le infundió un glorioso resplandor que los ojos mortales no toleraban. Tal era la
justificación de la Máscara. Cuando todos los hombres
de la tierra profesaran la nueva ley, el Rostro les
sería descubierto y ellos podrían[3] adorarlo sin riesgo
— como ya los ángeles lo adoraban. Proclamada su
comisión, Hákim los exhortó a una guerra santa — un
djehad — y a su conveniente martirio.

Los esclavos, pordioseros[4], chalanes, ladrones de
camellos y matarifes le negaron su fe : una voz gritó
brujo y otra *impostor*.

---

1. **por diferir :** *parce qu'elle différait...* L'espagnol autorise
de nombreuses constructions infinitives, dont le sens varie
en fonction de la préposition employée et du contexte ;
ainsi, **por** + inf. n'indique pas seulement une cause, mais
aussi qu'une action reste à accomplir : **quedan muchas
cosas por hacer,** *de nombreuses choses restent à faire.*
Sont également possibles :
De (ou **a**) + inf. (conditionnel) : **de venir conmigo lo
pasarías bien,** *si tu venais avec moi tu t'amuserais bien.*
Al + inf. (simultanéité) : **al caer, el vaso se rompió,** *le
verre s'est cassé en tombant.*
Con + inf. (*bien que* ou *rien qu'en* + participe présent) :
lo verá con asomarse a la ventana, *vous le verrez rien
qu'en vous penchant à la fenêtre.*
Sin + inf. (action non encore effectuée) : **el trabajo está
sin terminar,** *le travail n'est pas fini.*

Le chroniqueur des Abassides rapporte que l'homme du désert (dont la voix était singulièrement douce, ou ce fut leur impression par contraste avec la brutalité du masque) leur dit qu'ils attendaient le signal d'un mois de pénitence, mais que lui-même prêchait un signal meilleur : celui de toute une vie pénitentielle et d'une mort injurieuse. Il leur dit être Hakim fils de Osman, et qu'en l'an 146 de l'Émigration, un homme s'était introduit dans sa maison et, après s'être purifié et avoir prié, il lui avait coupé la tête avec un cimeterre et l'avait emportée aux cieux. Sur la main tendue de l'homme (qui n'était autre que l'ange Gabriel), sa tête s'était retrouvée devant le Seigneur qui lui donna mission de prophétiser. Il lui inculqua des paroles si anciennes que leur répétition brûlait les bouches, lui insuffla un éclat glorieux insupportable aux yeux des mortels. Voilà l'explication du masque. Lorsque tous les hommes de la terre professeraient la nouvelle loi, le Visage leur serait dévoilé, et ils pourraient l'adorer sans risque — ainsi que les anges l'adoraient déjà. Après avoir proclamé ses attributions, Hakim les exhorta à une guerre sainte — un djihad — et à un martyre adéquat.

Les esclaves, mendiants, marchands, voleurs de chameaux et bouchers lui refusèrent leur foi : une voix cria *sorcier* et une autre *imposteur*.

---

2. **injuriada :** participe passé de **injuriar,** *injurier.* Notez son sens actif.
3. **cuando profesaran... les sería... podrían :** contrairement au français, le verbe des propositions circonstancielles de temps est généralement au subjonctif en espagnol car elles présentent souvent un fait comme hypothétique. L'imparfait du subjonctif s'explique ici par le conditionnel de la proposition principale.
4. **pordiosero :** équivalent de **mendigo** ou **limosnero,** *mendiant,* mot formé à partir de l'expression **por Dios,** *pour l'amour de Dieu.*

Alguien había traído un leopardo — tal vez un ejemplar de esa raza esbelta y sangrienta que los monteros[1] persas educan. Lo cierto es que rompió su prisión. Salvo[2] el profeta enmascarado y los dos acólitos, la gente se atropelló para huir[3]. Cuando volvieron, había enceguecido[4] la fiera. Ante los ojos luminosos y muertos, los hombres adoraron a Hákim y confesaron[5] su virtud sobrenatural.

EL PROFETA VELADO

El historiador oficial de los Abbasidas narra sin mayor entusiasmo[6] los progresos de Hákim el Velado en el Jorasán. Esa provincia — muy conmovida por la desventura y crucifixión de su más famoso caudillo — abrazó con desesperado fervor la doctrina de la Cara Resplandeciente y le tributó[7] su sangre y su oro. (Hákim, ya entonces, descartó[8] su efigie brutal por[9] un cuádruple velo de seda blanca recamado[10] de piedras. El color emblemático de los Banú Abbás era el negro ; Hákim eligió el color blanco — el más contradictorio — para el Velo Resguardador, los pendones y los turbantes.) La campaña se inició bien. Es verdad que en el *Libro de la precisión* las banderas del jalifa son en todo lugar victoriosas, pero como el resultado más frecuente de esas victorias es la destitución de generales y el abandono de castillos inexpugnables, el avisado lector sabe a qué atenerse[11].

---

1. **montero** : vient de **monte**, *montagne*.
2. **salvo** : adv., équivalent de **excepto**.
3. **la gente se atropelló para huir** : *les gens se bousculèrent pour s'enfuir.*
4. **enceguecido** : participe passé du verbe **enceguecer**, *faire perdre la vue, aveugler.* Le synonyme **cegar** est plus courant. **Ciego** : *aveugle* ; **a ciegas** : *à l'aveuglette.*
5. **confesar** peut également avoir le sens de *confesser* ; ici, *reconnaître* (confesser sa foi), *proclamer.*
6. **sin mayor entusiasmo** : litote très borgésienne qui laisse entendre de la mauvaise volonté, voire de la mauvaise foi.
7. **tributar** : de **tributo**, *tribut, impôt* ; au sens figuré, *témoigner* (**le tributa respeto** : *il lui témoigne du respect*).

Quelqu'un avait amené un léopard — peut-être un exemplaire de cette race svelte et assoiffée de sang élevée par les veneurs persans. En tout cas il brisa sa prison. Excepté le Prophète masqué et ses deux acolytes, les gens prirent la fuite dans une bousculade générale. Lorsqu'ils revinrent, le fauve était devenu aveugle. Face à ces yeux lumineux et morts, les hommes adorèrent Hakim et reconnurent sa vertu surnaturelle.

LE PROPHÈTE VOILÉ

L'historien officiel des Abassides raconte sans grand enthousiasme les progrès de Hakim le Voilé dans le Khorasan. Cette province — très bouleversée par le malheur et le crucifiement de son chef le plus fameux — embrassa avec la ferveur du désespoir la doctrine de la Face Resplendissante et lui paya son tribut de sang et d'or. (Alors, Hakim avait déjà remplacé sa brutale effigie par un quadruple voile de soie blanche brodé de pierres précieuses. La couleur emblématique des Banu Abbas était le noir ; Hakim choisit le blanc — la couleur la plus contradictoire — pour le Voile Protecteur, les bannières et les turbans.) La campagne débuta bien. Il est vrai que, dans le *Livre de la Précision,* les drapeaux du calife sont en tout lieu victorieux, mais comme le résultat le plus fréquent de ces victoires est la destitution des généraux et l'abandon de châteaux inexpugnables, le lecteur avisé sait à quoi s'en tenir.

---

8. **descartar :** *écarter, rejeter.*
9. notez cette valeur de la préposition **por :** *en échange de.*
10. **recamar,** *broder en relief,* est un synonyme de **bordar de realce.**
11. l'auteur feint de ne pas se prononcer et s'en remet au sens critique du lecteur, créant ainsi une connivence entre eux. C'est un jeu de miroirs qui s'instaure : le nécessaire scepticisme du lecteur avisé devant la chronique officielle de ces batailles renvoie aux relations entre Borges et son public.

A fines de la luna de rejeb del año 161, la famosa
ciudad de Nishapur abrió sus puertas de metal al
Enmascarado ; a principios del 162, la de Astarabad [1].
La actuación [2] militar de Hákim (como la de otro más
afortunado Profeta) se reducía a la plegaria [3] en voz
de tenor [4], pero elevada a la Divinidad desde el lomo
de un camello rojizo, en el corazón agitado de las
batallas. A su alrededor silbaban las flechas, sin que
lo hirieran [5] nunca. Parecía buscar el peligro : la
noche que unos detestados leprosos rondaron [6] su
palacio, les ordenó comparecer, los besó y les entregó
plata y oro.

Delegaba [7] las fatigas de gobernar en seis o siete
adeptos. Era estudioso de la meditación y la paz : un
harem de 114 mujeres ciegas trataba de aplacar [8] las
necesidades de su cuerpo divino.

LOS ESPEJOS ABOMINABLES

Siempre que sus palabras no invaliden [9] la fe
ortodoxa, el Islam tolera la aparición de amigos
confidenciales de Dios, por indiscretos o amenazado-
res que sean [10]. El profeta, quizá, no hubiera des-
deñado los favores de ese desdén, pero sus partidarios,
sus victorias y la cólera pública del jalifa — que era
Mohamed Al Mahdí — lo obligaron a la herejía.

---

1. **la de Astarabad :** *celle* (la ville) *d'Astarabad.* La suite
de la phrase est sous-entendue : ...**abrió sus puertas de
metal.**
2. **actuación** vient du verbe **actuar,** *agir.*
3. **plegaria :** *prière,* est synonyme de **rezo** ou **oración.**
4. **en voz de tenor :** notez cette valeur de la préposition
en qui introduit ici un complément de manière.
5. **hirieran** est l'imparfait du subjonctif de **herir,** *blesser*
(conjugaison sur le modèle de **sentir**). Le subjonctif, puisque
l'action de la subordonnée est postérieure à celle de la
principale et revêt donc un caractère éventuel.
6. **rondar** est transitif dans le sens de *tourner autour* et se
construit en espagnol sans préposition. Il peut aussi être
intransitif ; *rôder :* **merodear.**
7. **delegar** admet les prépositions **en** et **a.**

A la fin de la lune de rejeb en l'an 161, la fameuse cité de Nishapur ouvrit ses portes de métal au Masqué ; début 162, ce fut le tour d'Astarabad. Les prouesses militaires d'Hakim (comme celles d'un autre Prophète plus fortuné) se limitaient à prier d'une voix de ténor, mais en s'adressant à la Divinité juché sur le dos d'un chameau rougeâtre, au cœur agité de la bataille. Les flèches sifflaient autour de lui sans jamais le blesser. Il semblait chercher le danger : une nuit où des lépreux abhorrés rôdaient autour de son palais, il les fit comparaître, les baisa et leur remit de l'or et de l'argent.

Il déléguait les corvées du gouvernement à six ou sept adeptes. Il était expert en méditation et en paix : un harem de 114 femmes aveugles s'efforçait d'assouvir les besoins de son corps divin.

LES MIROIRS ABOMINABLES

A condition que leurs paroles n'infirment pas la foi orthodoxe, l'islam tolère l'apparition de confidents de Dieu, aussi indiscrets ou menaçants soient-ils. Le prophète n'aurait peut-être pas dédaigné les faveurs de cette indifférence, mais ses partisans, ses victoires et la colère publique du calife — Mohamed Al Mahdi — le poussèrent à l'hérésie.

---

8. Moore, l'inspirateur de Borges, insistait beaucoup sur les excès du Prophète en matière sexuelle, d'où cette observation ironique.
9. **siempre que... no invaliden :** comme **a no ser que** (*à moins que*), **con tal que** (*du moment que*), etc., **siempre que** est toujours suivi du subjonctif.
10. **por... que sean :** les propositions concessives introduites par **por... que** admettent toujours le subjonctif.

Esa disensión lo arruinó, pero antes le hizo definir los artículos de una religión personal, si bien [1] con evidentes infiltraciones de las prehistorias gnósticas [2].

En el principio de la cosmogonía [3] de Hákim hay un Dios espectral. Esa divinidad carece majestuosamente de origen, así como [4] de nombre y de cara. Es un Dios inmutable, pero su imagen proyectó nueve sombras que, condescendiendo a la acción, dotaron y presidieron un primer cielo. De esa primera corona demiúrgica [5] procedió [6] una segunda, también con ángeles, potestades y tronos, y éstos fundaron otro cielo más abajo, que es duplicado [7] simétrico del inicial. Ese segundo cónclave [8] se vio reproducido en uno terciario y ése en otro inferior, y así hasta 999. El señor del cielo del fondo es el que rige [9] — sombra de otras sombras — y su fracción de divinidad tiende a cero.

La tierra que habitamos es un error, una incompetente parodia. Los espejos y la paternidad son abominables porque la multiplican y afirman. El asco es la virtud fundamental. Dos disciplinas (cuya elección dejaba libre el profeta) pueden conducirnos a ella : la abstinencia y el desenfreno, el ejercicio de la carne o su castidad.

El paraíso y el infierno de Hákim no eran menos desesperados.

---

1. la locution conjonctive **si bien** équivaut à la conjonction **aunque** : elle peut ainsi introduire une subordonnée dont le verbe sera à l'indicatif (fait réel) ou au subjonctif (supposition) ; **si bien no hablaba** : *bien qu'il ne parlât pas,* ou **si bien lo hiciera** : *même s'il le faisait.*

2. **gnósticas** : *gnostiques,* c'est-à-dire relatives au gnosticisme, ensemble de doctrines hérétiques du IIIᵉ siècle ap. J.-C. fondées sur le rejet de la matière, mauvaise par définition, et une connaissance supérieure du divin.

3. **cosmogonía** : *cosmogonie,* théorie expliquant, grâce à la science ou à la mythologie, la formation de l'univers.

4. **así como** : *comme, tout autant que ;* **así como así** : *de toute manière ;* **así como** + verbe à l'ind. ou au subj. : *aussitôt que.*

Cette dissension fut sa ruine ; néanmoins, elle lui fit définir auparavant les articles d'une religion personnelle, encore qu'avec d'évidentes résurgences des préhistoires gnostiques.

Au début de la cosmogonie de Hakim, il y a un dieu spectral. Cette divinité est majestueusement dépourvue d'origine, de nom et de visage. C'est un Dieu immuable, mais son image projeta neuf ombres qui, condescendant à agir, dotèrent et présidèrent un premier ciel. Cette première couronne démiurgique en engendra une seconde, également avec des anges, des puissances et des trônes, et ceux-ci fondèrent un autre ciel, plus bas, la copie symétrique du ciel initial. Ce deuxième conclave se vit reproduire en un troisième, et celui-ci en un autre inférieur, et ainsi de suite jusqu'à 999. Le seigneur du ciel le plus bas règne sur notre monde — ombre d'autres ombres — et son pourcentage de divinité tend vers le zéro.

La terre que nous habitons est une erreur, une parodie fruit de l'incompétence. Les miroirs et la paternité sont abominables puisqu'ils la multiplient et l'affirment. Le dégoût est la vertu fondamentale. Deux disciplines (dont le prophète laissait le libre choix) peuvent nous y conduire : l'abstinence et le dérèglement, l'exercice de la chair ou la chasteté.

Le paradis et l'enfer de Hakim n'étaient pas moins désespérés.

---

5. **demiúrgica :** *démiurgique,* de Démiurge, nom donné par les Platoniciens au dieu créateur de l'univers.
6. **proceder de :** *provenir de ;* **proceder a :** *procéder à, exécuter ;* **procede hacerlo :** *il convient de le faire ;* **si procede :** *s'il y a lieu.*
7. **duplicado :** du verbe **duplicar,** *multiplier par deux* ou *reproduire.*
8. **cónclave :** la forme **conclave** (sans accent sur le o) existe également.
9. **rige :** prés. de l'ind. du verbe **regir,** *régir, gouverner,* (conjugaison sur le modèle de **pedir**).

A los que niegan la Palabra, a los que niegan el Enjoyado[1] *Velo y el Rostro* (dice una imprecación que se conserva de la Rosa Escondida), *les prometo un Infierno maravilloso, porque cada*[2] *uno de ellos reinará sobre 999 imperios de fuego, y en cada imperio 999 montes de fuego, y en cada monte 999 torres de fuego, y en cada torre 999 pisos de fuego, y en cada piso 999 lechos de fuego, y en cada lecho estará él y 999 formas de fuego (que tendrán*[3] *su cara y su voz) lo torturarán para siempre.* En otro lugar corrobora : *Aquí en la vida padecéis en un cuerpo ; en la muerte y la Retribución, en innumerables.* El paraíso es menos concreto. *Siempre es de noche*[4] *y hay piletas de piedra, y la felicidad de ese paraíso es la felicidad peculiar de las despedidas, de la renunciación y de los que saben que duermen.*

EL ROSTRO

El año 163 de la Emigración y quinto de la Cara Resplandeciente, Hákim fue cercado[5] en Sanam por el ejército del jalifa. Provisiones y mártires[6] no faltaban, y se aguardaba el inminente socorro de una caterva[7] de ángeles de luz. En eso estaban cuando un espantoso rumor atravesó el castillo.

---

1. **enjoyado** : participe passé de **enjoyar**, *parer de bijoux ;* **las joyas** ou **las alhajas** : *les bijoux.*
2. **cada** *(chaque),* **cada uno, cada cual** *(chacun)* ont une valeur distributive : **somos muchos, y cada cual hace lo que quiere** : *nous sommes nombreux et chacun fait ce qu'il veut.* Dans la langue parlée, **cada** a souvent une valeur exclamative ; **¡ decía cada cosa !** : *il disait de ces choses !* **Cada hijo de vecino** (ou **cada quisque,** tournure beaucoup plus recherchée) : *tout un chacun.*
3. **tendrán :** futur irrégulier de **tener.**
4. **es de noche :** le verbe **ser** avec un complément de temps car le sujet est impersonnel, *c'est la nuit.* Notez ces autres expressions avec **ser de :**
Ser de + inf. (falloir) : **¡ era de ver aquel hombre !**
Ser de + nom ou pronom *(appartenir)* : **esto es de mi padre.**

A ceux qui refusent la Parole, à ceux qui refusent le Voile brodé de pierreries et le Visage (dit une imprécation tirée de la *Rose Cachée*), *je promets un Enfer merveilleux, car chacun d'entre eux régnera sur 999 empires de feu, et dans chaque empire 999 montagnes de feu, et sur chaque montagne 999 tours de feu, et dans chaque tour 999 demeures de feu, et dans chaque demeure 999 couches de feu, et dans chaque couche il y aura lui, et 999 formes de feu (qui posséderont son visage et sa voix) le tortureront à jamais.* Dans un autre passage, il corrobore son message : *Ici, dans la vie, vous souffrez en un corps ; dans la mort et la Récompense, en d'innombrables.* Le paradis est moins concret. *Il fait toujours nuit et il y a des bassins en pierre, et la félicité de ce paradis est la félicité particulière des adieux, de la renonciation et de ceux qui se savent dormir.*

LE VISAGE

En l'an 163 de l'Emigration et 5 de la Face Resplendissante, Hakim fut encerclé à Sanam par les armées du calife. Les approvisionnements et les martyrs ne manquaient pas, et l'on attendait le secours imminent d'une flopée d'anges de lumière. On en était là lorsqu'une effroyable rumeur traversa le château.

Ser de + nom ou pronom *(devenir)* : ¿ **Qué es de ti ?**
5. **fue cercado : ser,** car il s'agit de la voix passive. On n'emploie **estar** avec un participe passé que si ce dernier est utilisé comme adjectif et la structure exprime alors le résultat d'une action. **La puerta es cerrada por el alumno :** voix passive, la porte est en train d'être fermée par l'élève ; **la puerta está cerrada :** résultat de l'action de la fermer.
6. **provisiones y mártires :** Borges s'amuse à les mettre sur le même plan.
7. **caterva :** familier, voire péjoratif, *bande, ramassis, tripotée.*

Se refería que una mujer adúltera del harem, al ser estrangulada por los eunucos, había gritado que a la mano derecha del profeta le faltaba el dedo anular y que carecían de uñas los otros. El rumor cundió[1] entre los fieles. A pleno sol, en una elevada terraza, Hákim pedía una victoria o un signo a la divinidad familiar. Con la cabeza doblegada[2], servil — como si corrieran[3] contra una lluvia —, dos capitanes le arrancaron el Velo recamado de piedras.

Primero, hubo un temblor. La prometida cara de Apóstol, la cara que había estado en los cielos, era en efecto blanca, pero con la blancura peculiar de la lepra manchada[4]. Era tan abultada o increíble que les pareció una careta[5]. No tenía cejas ; el párpado inferior del ojo derecho pendía sobre la mejilla senil ; un pesado racimo de tubérculos le comía los labios ; la nariz inhumana y achatada[6] era como de león.

La voz de Hákim ensayó un engaño final. *Vuestro pecado abominable os prohíbe[7] percibir mi esplendor*... comenzó a decir.

No lo escucharon y lo atravesaron con lanzas.

---

1. **cundió :** passé simple du verbe **cundir**, *se propager* (cunde la voz que : *le bruit court que*) ou *fournir* (no me cunde el tiempo : *je n'ai pas assez de temps*).
2. **con la cabeza doblegada :** con introduit un compl. à valeur descriptive et accidentelle. On peut l'omettre, mais alors l'adjectif doit obligatoirement précéder le nom : **doblegada la cabeza**.
3. toujours l'imparfait du subjonctif après **como si**.
4. **la lepra manchada :** m. à m. *la lèpre tachée* ou *souillée*.
5. où l'on retrouve l'horreur de Borges pour les masques. Le masque sous le masque, le monstre caché, l'apparence et la réalité, autant de thèmes contenus dans cette nouvelle et majeurs dans son œuvre.
6. **achatada :** participe passé de **achatar**, *aplatir ;* **la nariz chata :** *le nez camus*.

On rapportait qu'une femme adultère du harem, à l'instant d'être étranglée par les eunuques, s'était écriée qu'il manquait l'annulaire à la main gauche du prophète et que ses autres doigts étaient dépourvus d'ongles. La rumeur se répandit parmi les fidèles. En plein soleil, du haut d'une terrasse, Hakim demandait une victoire ou un signe à la divinité familière. Têtes courbées, serviles — comme s'ils couraient contre la pluie —, deux capitaines lui arrachèrent son Voile brodé de pierreries.

Il y eut d'abord un frémissement. La face promise de l'Apôtre, la face qui était montée aux cieux, cette face était blanche, en effet, mais de la blancheur particulière des pustules lépreuses. Elle était si gonflée ou inconcevable qu'elle leur parut être un masque. Les sourcils avaient disparu ; la paupière inférieure de l'œil droit pendait sur la joue sénile ; une lourde grappe de tubercules lui dévorait les lèvres ; le nez inhumain et rongé ressemblait à celui du lion.

La voix de Hakim tenta une dernière duperie. *Votre péché abominable vous interdit de percevoir ma splendeur...* commença-t-il à dire.

Ils ne l'écoutèrent pas et le transpercèrent de leurs lances.

---

7. **prohibir** + infinitif : comme **mandar** ou **hacer**, **prohibir** comporte deux constructions possibles : — avec l'infinitif, s'il n'y a pas de complément ou si ce complément est un pronom personnel : **te prohibo cantar** *(je t'interdis de chanter)* ; — avec le subjonctif si ce complément est un nom : **el profesor prohibe a los alumnos que salgan** *(le professeur interdit aux élèves de sortir)*.

Révisions

Vous avez rencontré dans cette histoire l'équivalent des expressions françaises suivantes.
Vous en souvenez-vous ?

1. Le texte original a disparu, étant donné que ce manuscrit a été déclaré apocryphe.
2. Sa patrie fut la cité de Merv, dont les jardins sont tournés vers le désert.
3. Les hommes regardaient le couchant, en quête de la lune.
4. Sa voix leur sembla douce, par opposition avec la brutalité du masque.
5. À l'exception du prophète, les gens se bousculèrent pour s'enfuir.
6. Les faits d'armes de Hakim se réduisaient à la prière.
7. Les flèches sifflaient autour de lui, sans jamais le blesser.
8. Il est tolérant à condition que l'on respecte la foi orthodoxe.
9. Il définit une religion personnelle, encore qu'avec des influences étrangères.
10. La rumeur se répandit parmi les fidèles.
11. Cette divinité est dépourvue d'origine, de nom et de visage.

1. El texto original se perdió, ya que este manuscrito fue declarado apócrifo.
2. Su patria fue la ciudad de Merv, cuyos jardines miran al desierto.
3. Los hombres miraban el poniente en busca de la luna.
4. Su voz les pareció dulce por diferir de la brutalidad de la máscara.
5. Salvo el profeta, la gente se atropelló para huir.
6. La actuación militar de Hákim se reducía a rezar.
7. Las flechas silbaban a su alrededor, sin que lo hirieran nunca.
8. Es tolerante, siempre que se respete la fe ortodoxa.
9. Definió una religión personal, si bien con influencias extranjeras.
10. El rumor cundió entre los fieles.
11. Esa divinidad carece de origen, así como de nombre y de cara.

Hombre de la esquina rosada

A Enrique Amorín

L'homme au coin du mur rose

Préface

A la mort d'un de ses amis, don Nicolás Paredes, un ancien chef politique et un habitué des tripots du quartier nord, « un vieil assassin », dit-il, Borges voulut lui manifester sa fidélité en le faisant revivre, en imitant sa voix, sa façon de raconter des histoires.

Le résultat fut *L'homme au coin du mur rose*, un récit d'abord intitulé *Hombres de las orillas* (hommes des faubourgs) et qu'il signa d'un pseudonyme car il avait un peu l'impression de se rabaisser en l'écrivant.

Il eut d'ailleurs d'énormes difficultés pour en venir à bout : il rédigeait une phrase, péniblement, la relisait à haute voix en s'efforçant de retrouver les intonations de son ami, effaçait les tournures qui lui semblaient trop littéraires.

Plus tard il refusa de considérer cette histoire comme le point de départ de son œuvre, bien qu'elle fût l'une des plus populaires qu'il eût produites, lui accordant tout au plus un caractère insolite.

Cette nouvelle manifestation de sévérité de Borges envers lui-même nous paraît aujourd'hui bien exagérée. D'autant plus qu'en choisissant comme nom d'emprunt un patronyme connu de ses proches, celui d'un ancêtre, il revendiquait dans une certaine mesure la paternité de son texte, tout en affectant de le dédaigner.

La nouvelle *L'homme au coin du mur rose* révèle une maîtrise exceptionnelle de la technique du récit. Elle apparaît également comme une superbe évocation de l'univers des faubourgs, une espèce de catalogue des mâles vertus — le culte du courage et de l'honneur — dont font preuve les voyous, emportés par les accents du tango et de la milonga, des voyous pour lesquels il éprouve un respect et une tendresse qui transparaissent à chaque ligne.

Elle constitue enfin un précieux témoignage d'une époque et d'une certaine forme d'expression, un savoureux recueil d'argentinismes.

A mí, tan luego[1], hablarme del finado[2] Francisco
Real. Yo lo conocí, y eso que éstos no eran sus barrios
porque él sabía[3] tallar[4] más bien por el Norte, por
esos laos[5] de la laguna de Guadalupe y la Batería.
Arriba[6] de tres veces no lo traté, y ésas en una misma
noche, pero es noche que no se me olvidará, como
que[7] en ello vino la Lujanera[8] porque sí, a dormir
en mi rancho[9] y Rosendo Juárez dejó, para no volver,
el Arroyo. A ustedes, claro que les falta la debida
experiencia para reconocer ese nombre, pero Rosendo
Juárez el Pegador era de los que pisaban más fuertes[10]
por Villa Santa Rita. Mozo acreditao[11] pal[12] cuchillo
y era uno de los hombres de D. Nicolás Paredes, que
era uno de los hombres de Morel. Sabía llegar de lo
más paquete[13] al quilombo[14], en un oscuro[15], con
las prendas de plata ; los hombres y los perros lo
respetaban y las chinas[16] también ; nadie ignoraba
que estaba debiendo dos muertes ; usaba un
chambergo alto, de ala finita, sobre la melena
grasienta ; la suerte lo mimaba, como quien dice. Los
mozos de la Villa le copiábamos hasta el modo de
escupir. Sin embargo, una noche nos ilustró la
verdadera condición de Rosendo.

---

1. **tan luego :** amér., équivalent de **además**.
2. **finado :** participe passé de **finar**, *décéder,* moins courant
que **morir**.
3. **sabía :** les Argentins emploient souvent **saber** pour **soler**,
avoir l'habitude de.
4. **tallar :** argent., *mener le jeu* aux cartes et, au sens
figuré, *faire la loi.*
5. **laos :** pour **lados** ; dans la langue orale, le **d** intervocalique final est très légèrement prononcé en espagnol, voire
totalement omis. Ce texte écrit reproduit fidèlement le
discours du « vieil assassin ».
6. **arriba :** *en haut,* est ici un équivalent de **más**.
7. **como que** est un équivalent familier de **puesto que**,
dado que.
8. **la Lujanera :** argent., nom d'une carte, dans certains
jeux, qui fait tourner la chance et perdre celui qui était
certain de gagner.

En plus, venir me parler, à moi, de feu Francisco Real. Je l'ai connu, moi, et pourtant ça n'était pas son quartier, car il avait plutôt l'habitude de faire la pluie et le beau temps dans la zone nord, du côté de la lagune de Guadalupe et de la Batería. J'ai pas eu affaire à lui plus de trois fois, et encore en une seule nuit, mais une nuit que j'oublierai jamais, vu que la Lujanera est venue dormir dans ma cabane, comme ça, et que Rosendo Juárez a quitté l'Arroyo, définitivement. Vous, sûr qu'il vous manque l'expérience nécessaire pour reconnaître ce nom, mais Rosendo Juárez le Cogneur, c'était un de ceux qui se faisaient le plus respecter à Villa Santa Rita. Un gars expert dans le maniement du couteau, et il faisait partie de la bande de D. Nicolás Paredes, un des hommes de Morel. Il arrivait au bordel sapé comme un prince, sur un cheval noir, avec les harnachements en argent ; les hommes et les chiens le respectaient et les nanas aussi ; on savait tous qu'il avait deux cadavres sur la conscience ; il portait un grand feutre à bord étroit, sur sa tignasse luisante ; il était gâté par le sort, comme on dit. Les jeunes de la Villa, on copiait même sa façon de cracher. Et pourtant, une nuit nous a éclairés sur la véritable nature de Rosendo.

---

9. **rancho :** à Buenos Aires, dans le langage familier, une bicoque située dans les faubourgs de la ville.
10. **pisar fuerte :** argent., *dominer,* de **pisar**, *marcher sur.*
11. **acreditao :** acreditado (cf. note 5).
12. **pal :** contraction orale de **para el**.
13. **paquete :** argent., *habillé de façon luxueuse.*
14. **quilombo :** argent., équivalent vulgaire de **prostíbulo**.
15. **oscuro :** argent., *cheval à la robe noire.*
16. **china :** du quechua **china** *(femelle de l'animal),* la *femme de la campagne* ou *des classes populaires,* mot aujourd'hui souvent employé avec une nuance d'affection.

Parece cuento [1], pero la historia de esa noche rarísima empezó por un placero [2] insolente de ruedas coloradas, lleno hasta el tope de hombres, que iba a los barquinazos [3] por esos callejones de barro duro, entre los hornos [4] de ladrillos y los huecos, y dos de negro, déle [5] guitarriar [6] y aturdir, y el del pescante que les tiraba un fustazo [7] a los perros sueltos que se le atravesaban al moro [8], y un emponchado [9] iba silencioso en el medio, y ése era el Corralero de tantas mentas [10], y el hombre iba a peliar [11] y a matar. La noche era una bendición de tan fresca [12]; dos de ellos iban sobre la capota volcada, como si la soledá [13] juera [14] un corso [15]. Ese jué el primer sucedido de tantos que hubo, pero recién [16] después lo supimos. Los muchachos estábamos dende [17] temprano en el salón de Julia, que era un galpón de chapas de cinc, entre el camino de Gauna y el Maldonado. Era un local que usté lo divisaba de lejos, por la luz que mandaba a la redonda el farol sinvergüenza, y por el barullo también. La Julia, aunque de humilde color, era de lo más consciente y formal, así que no faltaban musicantes, güen [18] beberaje [19] y compañeras resistentes pal baile. Pero la Lujanera, que era la mujer de Rosendo, las sobraba lejos a todas. Se murió, señor, y digo que hay años en que ni pienso en ella, pero había que verla en sus días, con esos ojos. Verla, no daba sueño.

---

1. **cuento** est ici synonyme de **mentira**, *mensonge*; no me venga con cuentos : *arrêtez de me raconter des histoires.*
2. **placero** : argent., *voiture de place, carriole.*
3. **barquinazo** : *cahot*; dar barquinazos : *cahoter, se renverser.*
4. **hornos** : *fours* (à pain), inséparables du **rancho** dans le paysage de la campagne argentine.
5. **¡ déle !** ou **¡ dále !** : *vas-y !* expression familière à partir du verbe **dar**.
6. **guitarriar** : déformation de **guitarrear**, *jouer de la guitare.*
7. **fustazo** : de **fuste**, *bâton.*
8. **el moro** : *balzan*, cheval noir avec des taches blanches aux pieds et une étoile sur le front.
9. **emponchado** : de **poncho**, le vêtement traditionnel du paysan argentin.
10. **mentas** : argent., *renommée.*

Ça semble des bobards, mais l'histoire de cette nuit extraordinaire a commencé par une carriole insolente avec des roues peintes en rouge, remplie d'hommes à ras bord, qui sautait sur ces ruelles en terre défoncées, au milieu des fours en brique et des trous, et les deux habillés en noir, vas-y que je te gratte la guitare et que je te casse les oreilles, et celui du siège avant expédiant des coups de cravache aux chiens abandonnés qui coupaient la route du balzan, et celui couvert d'un poncho qui se taisait au milieu ; le type, c'était ce Corralero dont on a parlé si souvent, et il s'en allait chercher la bagarre et tuer. La nuit était tellement fraîche que c'en était une bénédiction ; il y en avait deux grimpés sur la capote baissée, comme s'ils confondaient cette solitude avec un défilé. Ça a été la première chose qui est arrivée, parmi beaucoup d'autres, mais on l'a su que tout de suite après. Les gars, on était depuis longtemps dans le salon de Julia, un hangar recouvert de tôles de zinc, entre le chemin de Gauna et le Maldonado. On remarquait le bâtiment de loin, à cause des lueurs indécentes de la lanterne projetées à la ronde, et aussi à cause du raffut. La Julia avait beau avoir la peau foncée, elle était des plus consciencieuses et sérieuses, ça manquait donc pas de musicos, de bonne bibine et de partenaires résistantes pour guincher. Mais la Lujanera, la femme de Rosendo, elle l'emportait haut la main sur toutes les autres. Elle est morte, monsieur, et je dirais qu'il peut se passer toute une année sans que je pense à elle, mais il fallait la voir à sa grande époque, elle avait des yeux... On n'avait pas sommeil en la voyant.

---

11. **peliar** : déformation de **pelear**.
12. **de tan fresca** : notez cette valeur de la préposition **de** (*à force de*), renforcée par **tan**.
13. **soledá** pour **soledad** (chute du **d** final).
14. **juera** : déformation de **fuera**. Même chose pour **jué** (**fue**).
15. **corso** : argent., d'origine italienne, *défilé de chars fleuris*.
16. **recién** (apocope de **recientemente**) ne s'emploie en castillan que devant un part. passé. En Amérique, son usage est beaucoup plus fréquent.
17. **dende** : déformation de **desde**.
18. **güen** : déformation de **buen**.
19. **beberaje** : amér., *boisson* ou *excès de boisson*.

La caña[1], la milonga[2], el embraje[3], una condescendiente mala palabra de boca de Rosendo, una palmada suya en el montón que yo trataba de sentir como una amistá[4] : la cosa es que yo estaba lo más feliz. Me tocó una compañera muy seguidora[5], que iba como adivinándome la intención. El tango hacía su voluntá[6] con nosotros y nos arriaba[7] y nos perdía y nos ordenaba y nos volvía a encontrar. En esa diversión estaban los hombres, lo mismo que en un sueño, cuando de golpe me pareció crecida la música, y era que ya se entreveraba con ella la de los guitarreros del coche, cada vez más cercano. Después, la brisa que la trajo tiró para otro rumbo, y volví a atender a mi cuerpo y al de la compañera y a las conversaciones del baile[8]. Al rato largo llamaron a la puerta con autoridá[9], un golpe y una voz. En seguida un silencio general, una pechada[10] poderosa a la puerta y el hombre estaba adentro. El hombre era parecido a la voz.

Para nosotros no era todavía Francisco Real, pero sí un tipo alto, fornido, trajeado enteramente de negro, y una chalina[11] de un color como bayo[12], echada sobre el hombro. La cara recuerdo que era aindiada[13], esquinada[14].

---

1. **la caña :** argent., *eau-de-vie de canne à sucre* (**caña de azúcar**).
2. **la milonga :** danse populaire, ancêtre du **tango**.
3. **el embraje** (ou **hembraje**) **:** nom collectif formé à partir de hembra *(femelle)* et quelque peu grossier pour désigner les femmes.
4. **amistá :** déformation de **amistad**.
5. **seguidora,** du verbe **seguir**, *suivre* : dans le tango, l'homme domine, mène la danse, et sa partenaire le suit, plus ou moins bien.
6. **voluntá :** déformation de **voluntad**.
7. **arriar :** déformation de **arrear**, *stimuler, hâter*.
8. notez le sens du récit de Borges : la musique de plus en plus forte à l'extérieur, se mêlant aux accords du tango ; la brise qui l'emporte au loin ; le silence soudain, annonciateur de l'arrivée théâtrale du Corralero.

La gnôle, la milonga, les gonzesses, une grossièreté condescendante de la bouche de Rosendo, une petite tape de lui au hasard, que j'essayais de prendre pour une marque d'amitié : le fait est que j'étais on ne peut plus heureux. J'avais eu droit à une partenaire qui suivait très bien, elle semblait deviner mes intentions. Le tango nous dictait ses quatre volontés et nous entraînait et nous éloignait et nous remettait en place et nous réunissait de nouveau. Et les types étaient en train de s'amuser comme ça, comme dans un rêve, quand d'un coup la musique m'a semblé plus forte, et c'était parce qu'elle se mélangeait à présent avec celle des guitaristes de la carriole, de plus en plus proche. Ensuite, la brise qui l'avait apportée a soufflé dans une autre direction, et je me suis occupé une autre fois de mon corps et de celui de ma partenaire et des conversations du bal. Au bout d'un long moment, on a frappé à la porte avec autorité, un coup et une voix. Aussitôt, un silence général, une poussée puissante sur la porte et le type était à l'intérieur. Le type ressemblait à sa voix.

Pour nous ce n'était pas encore Francisco Real, mais pour sûr un mec grand, robuste, habillé en noir des pieds à la tête, et une écharpe tirant sur le jaune rejetée sur l'épaule. Le visage, je me le rappelle avec un air indien, taillé à coups de serpe.

---

9. **autoridá** : déformation de **autoridad**.

10. **pechada** : de **pecho** *(poitrine)* + le suffixe -ada *(coup de)*.

11. **la chalina** : argent., sorte d'écharpe en laine très fine et portée par les hommes.

12. l'adjectif **bayo** s'applique en général aux chevaux *(bai)*.

13. **aindiada** : de **indio**, *indien*.

14. **esquinada** : du verbe **esquinar**, *former un coin, placer en coin*. Au sens figuré : *fâcher* (**enfadar**).

Me golpeó la hoja de la puerta al abrirse. De puro atolondrado[1] me le juí encima y le encajé[2] la zurda[3] en la facha[4], mientras con la derecha sacaba el cuchillo filoso[5] que cargaba en la sisa del chaleco, junto al sobaco izquierdo. Poco iba a durarme la atropellada[6]. El hombre, para afirmarse, estiró los brazos y me hizo a un lado, como despidiéndose de un estorbo. Me dejó agachado detrás, todavía con la mano abajo del saco[7], sobre el arma inservible. Siguió como si tal cosa[8], adelante. Siguió, siempre más alto que cualquiera de los que iba desapartando, siempre como sin ver. Los primeros — puro italianaje[9] mirón — se abrieron como abanico, apurados. La cosa no duró. En el montón siguiente ya estaba el inglés esperándolo, y antes de sentir en el hombro la mano del forastero[10], se le durmió con un planazo que tenía listo. Jué ver ese planazo y jué venírsele ya todos al humo[11]. El establecimiento tenía más de muchas varas de fondo, y lo arriaron como un cristo, casi de punta a punta, a pechadas, a silbidos y a salivasos[12]. Primero le tiraron trompadas[13], después, al ver que ni se atajaba los golpes, puras cachetadas a mano abierta o con el fleco inofensivo de las chalinas, como riéndose de él. También, como reservándolo pa[14] Rosendo, que no se había movido para eso de la paré del fondo, en la que hacía espaldas, callado. Pitaba[15] con apuro su cigarrillo, como si ya entendiera lo que vimos claro después.

---

1. **de puro atolondrado** : *de puro* appartient plutôt à la langue littéraire ; il est invariable s'il est suivi d'un adjectif et variable suivi d'un nom. Ici, m. à m., *à force d'être étourdi*.

2. **encajar** : *emboîter ;* familier dans le sens de *flanquer* (un coup).

3. **la zurda** : *la main gauche*.

4. **facha** : argent., familier pour désigner le *visage*.

5. **filoso** : amér., *aiguisé*, de **filo**, *tranchant du couteau*.

6. **atropellada** : amér., *charge, bousculade,* de **atropellar**, *renverser*.

7. **el saco** : amér., *la veste* (**chaqueta** ou **americana** en Espagne).

8. **como si tal cosa** : *comme si de rien n'était*.

Le battant de la porte m'a tapé dessus en s'ouvrant. Sans réfléchir, je me suis jeté sur lui et je lui ai flanqué mon gauche dans la tronche, tandis qu'avec la main droite je tirais le couteau bien aiguisé que je planquais dans l'ouverture de mon gilet, sous le bras gauche. La bagarre allait être de courte durée. Le type a allongé les bras pour se redresser, m'a écarté, comme s'il se débarrassait d'un obstacle. Il m'a laissé à quatre pattes derrière lui, la main encore sous la veste, serrant l'arme inutilisable. Lui a continué à avancer mine de rien. Il avançait, toujours plus grand que n'importe lequel de ceux qu'il poussait de côté, comme s'il voyait pas. Les premiers — rien qu'une bande de ritals voyeurs — se sont ouverts en éventail, à toute allure. Ça n'a pas traîné. Dans le paquet suivant, l'Anglais était déjà là à l'attendre, et avant d'avoir senti sur son épaule la main de l'étranger, il l'a à moitié assommé d'un coup du plat de son couteau qu'il mijotait depuis un moment. Dès qu'ils ont vu ce gnon, ils se sont tous jetés sur lui, bravaches. L'établissement était tout en longueur, et ils l'ont poussé comme Jésus-Christ, presque d'un bout à l'autre, en le bousculant sous les sifflets et les crachats. D'abord, ils lui ont collé des beignes, ensuite, en voyant qu'il parait même pas les coups, de simples baffes avec la main ouverte ou la frange inoffensive de leurs écharpes, comme s'ils se foutaient de sa gueule. Et puis aussi, comme s'ils le réservaient pour Rosendo qui, dans ce but, avait pas quitté le mur du fond, adossé, silencieux. Il tirait nerveusement sur sa cigarette, il avait l'air de comprendre ce qu'on a découvert plus tard.

---

9. **italianaje** : nom collectif méprisant, formé à partir de italiano + suffixe -aje.
10. **el forastero** : l'étranger à la ville ou à la région ; **el extranjero** : l'étranger à un pays.
11. **venírsele** (ou írsele) **al humo a alguien** : argent., (*attaquer quelqu'un* avec une confiance excessive en soi-même).
12. **salivaso** : déformation de **salivazo**.
13. **trompada** : argent., équivalent de **puñetazo**, *coup de poing*.
14. **pa** : contraction très fréquente dans la langue parlée de **para**.
15. **pitar** : argent., équivalent de **fumar**.

El Corralero fue empujado hasta él, firme y ensangrentado, con ese viento de chamuchina [1] pifiadora [2] detrás. Silbado, chicoteado [3], escupido, recién habló cuando se enfrentó con Rosendo. Entonces lo miró y se despejó la cara con el antebrazo y dijo estas cosas :

— Yo soy Francisco Real, un hombre del Norte. Yo soy Francisco Real, que le dicen el Corralero. Yo les he consentido a estos infelices que me alzaran la mano, porque lo que estoy buscando es un hombre. Andan por ahí unos bolaceros [4] diciendo que en estos andurriales [5] hay uno que tiene mentas de cuchillero y de malo, y que le dicen el Pegador. Quiero encontrarlo pa que me enseñe a mí, que soy naides [6], lo que es hombre de coraje y de vista.

Dijo esas cosas y no le quitó los ojos de encima. Ahora le relucía un cuchillón en la mano derecha, que en fija [7] lo había traído en la manga. Alrededor se habían ido abriendo los que empujaron, y todos los mirábamos a los dos, en un gran silencio. Hasta la jeta [8] del mulato ciego que tocaba el violín acataba ese rumbo.

En eso, oigo que se desplazaban atrás, y me veo en el marco de la puerta seis o siete hombres, que serían la barra [9] del Corralero. El más viejo, un hombre apaisanado [10], curtido, de bigote entrecano, se adelantó para quedarse como encandilado por tanto hembraje y tanta luz, y se descubrió con respeto. Los otros vigilaban, listos para dentrar [11] a tallar [12] si el juego no era limpio.

---

1. **chamuchina** : argent., *les gens sans importance, une bande de gamins* (avec une nuance de mépris).
2. **pifiadora** : argent., du verbe **pifiar** (**pifiarse de alguien** : *se moquer de quelqu'un*) ; équivalents castillans : **burlarse, mofarse**.
3. **chicoteado** : argent., participe passé du verbe **chicotear**, *frapper* avec le **chicote**, *cravache*.
4. **bolacero** : argent., de **bolazo**, *mensonge* (en castillan : **mentira, disparate**), une personne habituée à mentir ou à dire des bêtises.
5. **andurriales** : *un coin perdu, un trou,* dans la langue familière.
6. **naides,** ou **nadies** : déformation fréquente en Argentine dans la langue courante. La structure de la phrase est

Le Corralero a été poussé jusqu'à lui, tout droit et ensanglanté, avec derrière lui ce vent de minables se payant sa tête. Sifflé, giflé, molardé, il a parlé dès qu'il s'est retrouvé en face de Rosendo. Alors il l'a regardé et il s'est essuyé la figure avec l'avant-bras et il a dit ceci :

— Moi, je suis Francisco Real, un homme du Nord. Je suis Francisco Real, on m'appelle le Corralero. J'ai laissé ces malheureux lever la main sur moi parce que je cherche un homme, un vrai. Par là-bas il y a dés rigolos qui racontent que dans ce trou perdu, il se promène un gars censé savoir manier le couteau et être un méchant, et on l'a surnommé le Cogneur. Je veux le rencontrer pour qu'il m'apprenne à moi, qui suis un moins que rien, comment est fait un homme courageux et adroit.

Il a dit ces choses-là sans le quitter du regard. À présent, un grand couteau brillait dans sa main droite, sûr qu'il l'avait caché dans sa manche. Ceux qui l'avaient bousculé s'étaient peu à peu écartés autour de lui et on était tous là à les regarder, dans un grand silence. Même le mulâtre aveugle, qui jouait du violon, tournait sa gueule de ce côté.

On en était là quand j'entends des gens qui se déplacent derrière moi, et je vois dans l'encadrement de la porte six ou sept hommes qui devaient constituer la bande du Corralero. Le plus vieux, l'air d'un paysan, tanné, la moustache grisonnante, s'est avancé et puis comme ébloui par toutes ces nanas et cette lumière, il a respectueusement ôté son chapeau. Les autres surveillaient, prêts à reprendre les choses en main si les dés étaient pipés.

---

d'ailleurs elle-même incorrecte : **no soy nadie**, ou **nadie soy**.

7. **en fija** : argent., **seguramente, con toda seguridad**.

8. **la jeta** : argent., mot grossier pour désigner *la bouche.*

9. **la barra** : argent., *la bande de copains,* formée autour d'un chef plus ou moins informel.

10. **apaisanado** : argent., de **paisano,** *paysan* (en Espagne, **campesino**).

11. **dentrar** : déformation de **entrar**.

12. **tallar** : argent. On retrouve ici le premier sens de ce verbe, *mener le jeu aux cartes, prendre les choses en main.*

¿ Qué le pasaba mientras tanto a Rosendo, que no lo sacaba pisotiando[1] a ese balaquero[2] ? Seguía callado, sin alzarle los ojos. El cigarro no sé si lo escupió o si se le cayó de la cara. Al fin pudo acertar con unas palabras, pero tan despacio que a los de la otra punta del salón no nos alcanzó lo que dijo. Volvió Francisco Real a desafiarlo y él a negarse. Entonces, el más muchacho de los forasteros silbó. La Lujanera lo miró aborreciéndolo y se abrió paso con la crencha en la espalda, entre el carreraje[3] y las chinas, y se jué[4] a su hombre y le sacó el cuchillo desenvainado y se lo dio con estas palabras :

— Rosendo, creo que lo estarás[5] precisando[6].

A la altura del techo había una especie de ventana alargada que miraba al arroyo. Con las dos manos recibió Rosendo el cuchillo y lo filió[7] como si no lo reconociera. Se empinó[8] de golpe hacia atrás y voló el cuchillo derecho y fue a perderse ajuera[9], en el Maldonado. Yo sentí como un frío.

— De asco[10] no te carneo[11] — dijo el otro, y alzó, para castigarlo, la mano. Entonces la Lujanera se le prendió y le echó los brazos al cuello y lo miró con esos ojos y le dijo con ira :

— Dejalo a ése[12], que nos hizo creer que era un hombre.

Francisco Real se quedó perplejo un espacio[13] y luego la abrazó como para siempre y les gritó a los musicantes[14] que le metieran tango y milonga, y a los demás de la diversión, que bailáramos. La milonga corrió como un incendio de punta a punta[15].

---

1. **pisotiando :** déformation de **pisotear,** *piétiner, fouler aux pieds.*

2. **balaquero :** argent., de **balaquear,** *jouer les durs, fanfaronner.*

3. **carreraje :** nom collectif formé à partir de **carrera** (*une rangée* au sens figuré).

4. **jué :** déformation de **fue.**

5. **estarás :** futur de conjecture, équivalent de **deber de** (traduit en français par le verbe *devoir*).

6. **precisando :** gérondif de **precisar ;** ici *avoir besoin de* et non pas *préciser*.

7. **filió :** de **filiar** ou **filar,** en lunfardo, l'argot **porteño** (*portègne,* c'est-à-dire appartenant ou relatif à Buenos Aires), *regarder, observer.*

Mais qu'est-ce qui arrivait pendant ce temps-là à Rosendo, qui sortait pas à coups de pompe cette grande gueule ? Il restait muet, les yeux baissés. La cigarette, je sais pas s'il l'a crachée ou si elle lui est tombée de la figure. Finalement, il a réussi à dire quelque chose, mais si bas qu'à l'autre bout de la salle on a rien entendu. Francisco Real l'a défié une autre fois et lui il a encore refusé. Alors, le plus jeune des étrangers a sifflé. La Lujanera l'a regardé haineusement et elle s'est ouvert un passage avec sa tignasse dans le dos, au milieu des rangées de types et des nanas, et elle est allée vers son homme et elle lui a tiré son couteau du fourreau et elle lui a tendu avec ces mots :

— Rosendo, t'en as sans doute besoin.

A hauteur du toit, il y avait une espèce de fenêtre étroite donnant sur la rivière. Rosendo a pris son couteau avec ses deux mains et il l'a détaillé comme s'il le reconnaissait pas. Soudain il s'est penché en arrière, et le couteau est parti tout droit et est allé se perdre dehors, dans le Maldonado. Moi, j'ai senti comme un frisson.

— Tu me dégoûtes tellement que je te crève pas, a dit l'autre, et il a levé la main pour le cogner. Alors la Lujanera l'a attrapé, lui a mis les mains autour du cou et l'a regardé avec ces yeux et lui a dit avec rage :

— Laisse-le ce mec, il nous avait fait le prendre pour un homme.

Francisco Real est resté perplexe un instant et ensuite il l'a embrassée comme si c'était pour toujours et il a crié aux musicos de se remettre aux tangos et aux milongas, et à tous les autres de la fête de danser. La milonga s'est répandue comme un incendie d'un bout à l'autre.

---

8. **empinarse :** *se redresser.*
9. **ajuera :** argent., déformation de **afuera**, à l'origine de l'adj. **pajuerano**, désignant une personne venant d'une autre région.
10. **el asco :** *le dégoût.*
11. **carnear :** amér., *dépecer* les animaux de boucherie. Au sens figuré : *tuer.*
12. **ése :** notez la valeur péjorative de ce démonstratif.
13. **espacio** est ici un équivalent de **momento.**
14. **musicante :** argent., équivalent familier de **músico**, *musicien.*
15. **de punta a punta :** argent., *d'un bout à l'autre ;* le castillan utilise plutôt **de punta a cabo** ou **de un extremo a otro.**

Real bailaba muy grave, pero sin ninguna luz[1], ya pudiéndola[2]. Llegaron a la puerta y gritó :

— ¡ Vayan abriendo cancha[3], señores, que la llevo dormida[4] !

Dijo, y salieron sien con sien, como en la marejada[5] del tango, como si los perdiera el tango.

Debí ponerme colorao[6] de vergüenza. Di unas vueltitas con alguna mujer y la planté de golpe. Inventé que era por el calor y por la apretura y jui orillando la paré hasta salir. Linda la noche, ¿ para quién ? A la vuelta del callejón estaba el placero, con el par de guitarras derechas en el asiento, como cristianos[7]. Dentré a[8] amargarme de que las descuidaran así, como si ni para recoger changangos[9] sirviéramos. Me dio coraje[10] de sentir que no éramos naides. Un manotón a mi clavel de atrás de la oreja y lo tiré a un charquito y me quedé un espacio mirándolo, como para no pensar en más nada. Yo hubiera querido estar de una vez[11] en el día siguiente, yo me quería salir de esa noche. En eso, me pegaron un codazo que jue casi un alivio. Era Rosendo, que se escurría[12] solo del barrio.

— Vos[13] siempre has de servir de estorbo, pendejo[14] — me rezongó al pasar, no sé si para desahogarse, o ajeno. Agarró el lado[15] más oscuro, el del Maldonado ; no lo volví a ver más.

---

1. **sin ninguna luz :** dans la langue populaire argentine, la luz *(lumière)* désigne la distance séparant deux corps, notamment au cours d'une danse.
2. **pudiéndola :** dans la langue familière, *vaincre, dominer, posséder.* No podrás con él : *tu n'en viendras pas à bout.*
3. **vayan abriendo cancha :** argent., de **cancha,** *espace dégagé ;* la cancha de futbol : *le terrain de football ;* abrir cancha : *dégager le passage.*
4. **que la llevo dormida :** argent. Expression argotique : passer toute la nuit avec une prostituée.
5. **la marejada :** *la houle, la vague.*
6. **colorao :** déformation de **colorado.**
7. **cristianos :** m. à m. *des chrétiens ;* dans la langue populaire argentine, *la personne* (opposée à l'animal ou à l'objet).

174

Real dansait très sérieux mais collé contre elle, elle était déjà à lui. Ils ont atteint la porte et il a crié :

— Laissez-nous passer, messieurs, je me l'emmène pour la nuit !

Aussitôt dit, ils sont sortis tempe contre tempe, comme emportés par le tango, comme si le tango leur faisait perdre la tête.

J'ai dû devenir rouge de honte. J'ai fait quelques petits tours avec n'importe quelle femme et je l'ai plantée tout à coup. J'ai inventé une histoire de chaleur ou de manque d'espace et je me suis glissé le long du mur jusqu'à la sortie. Magnifique la nuit, pour qui ? La carriole était au coin de la ruelle, avec les deux guitares bien droites sur le siège, comme deux personnes. Ça m'a d'abord fait suer qu'on les néglige comme ça, comme si on était même pas bons à faucher ces casseroles. Je me suis énervé en pensant qu'on était rien. D'une pichenette j'ai jeté l'œillet que j'avais derrière l'oreille dans une flaque et je l'ai regardé pendant un moment, comme pour penser à rien d'autre. J'aurais voulu me retrouver tout de suite au lendemain, je voulais sortir de cette nuit. J'ai alors reçu un coup de coude qui m'a presque soulagé. C'était Rosendo, qui s'éclipsait tout seul du quartier.

— Toi, il faut toujours que tu te mettes en travers, petit connard — il m'a grogné au passage, je sais pas si c'était pour se défouler ou sans faire attention. Il est parti du côté le plus sombre, vers le Maldonado ; je l'ai plus jamais revu.

---

8. **dentré α :** pour **entré a** *(s'apprêter à)*.

9. **changangos :** argent., *une guitare très ordinaire*.

10. **me dio coraje :** *ça m'a mis en colère ;* notez cette valeur de *coraje : irritation* et non pas *courage*.

11. **de una vez** ou de una vez para siempre : *une bonne fois pour toutes*.

12. **escurrirse :** *se faufiler, s'échapper ;* **escurrir el bulto :** *tirer au flanc, se défiler*.

13. **vos :** argent., pronom personnel employé à la place de **tú**, avec un verbe au singulier ou au pluriel (**vos estás** ou **vos estáis**).

14. **pendejo :** au sens figuré, insulte espagnole *(froussard)* ou hispano-américaine *(crétin)*.

15. **agarró el lado :** amér., *prendre une direction*.

Me quedé mirando esas cosas de toda la vida — cielo hasta decir basta[1], el arroyo que se emperraba[2] solo ahí abajo, un caballo dormido, el callejón de tierra, los hornos — y pensé que yo era apenas otro yuyo[3] de esas orillas, criado entre las flores de sapo y las osamentas. ¿ Qué iba a salir de esa basura sino nosotros, gritones pero blandos para el castigo, boca[4] y atropellada no más ? Sentí después que no, que el barrio cuanto más[5] aporriao[6], más obligación de ser guapo[7]. ¿ Basura ? La milonga déle loquiar[8], y déle bochinchar[9] en las casas, y traía olor a madreselvas el viento. Linda al ñudo[10] la noche. Había de estrellas como para marearse mirándolas, unas encima de otras. Yo forcejiaba[11] por sentir que a mí no me representaba nada el asunto, pero la cobardía de Rosendo y el coraje insufrible del forastero no me querían dejar. Hasta de una mujer para esa noche se había podido aviar el hombre alto. Para ésa y para muchas, pensé, y tal vez para todas, porque la Lujanera era cosa seria. Sabe Dios qué lado agarraron. Muy lejos no podían estar. A lo mejor ya se estaban empleando los dos, en cualesquier cuneta[12].

Cuando alcancé a volver, seguía como si tal cosa el bailongo[13].

Haciéndome el chiquito, me entreveré en el montón, y vi que alguno de los nuestros había rajado[14] y que los norteros tangueaban junto con los demás.

---

1. **decir basta :** du verbe **bastar,** *suffire.*
2. **emperrarse :** formé à partir de **perro** *(chien), se buter, se mettre en colère.*
3. **el yuyo :** amér., *la mauvaise herbe, le brin d'herbe.*
4. **boca :** *bouche,* et par extension les paroles émises ; le narrateur manie allégrement la synecdoque.
5. **cuanto más... más :** *plus... plus ;* notez la construction de cette proposition corrélative ; chacun de ces deux termes précède les mots sur lesquels porte la comparaison (**aporriao, obligación**) ; **cuanto** est invariable si le premier mot est un adjectif, un adverbe ou un verbe ; il s'accorde si ce mot est un nom : **cuantas más dificultades, más contento estoy,** *plus il y a de difficultés, plus je suis content.*
6. **aporriao :** déformation de **aporreado,** *maltraité.*

Je suis resté là à regarder ces choses habituelles — du ciel à en avoir marre, la rivière qui se fâchait toute seule, là-bas, au fond, un cheval endormi, la ruelle en terre, les fours — et j'ai pensé que j'étais à peine un brin d'herbe parmi d'autres, poussé au milieu des fleurs à crapauds et des ossements de la berge. Qu'est-ce qui pouvait sortir de toutes ces ordures à part nous, gueulards mais tout doux devant une raclée, juste bons à causer ou à donner une bourrade. Ensuite j'ai senti que c'était pas vrai, que plus le quartier était misérable, plus il fallait qu'on ait des tripes. Zéro, tout ça ? Et la milonga que je te rends fou et que je sème la pagaille dans les maisons, et le vent apportait des odeurs de chèvrefeuille. Inutilement belle, la nuit. Les étoiles, de quoi en avoir le mal de mer en les regardant, les unes sur les autres. Moi, j'essayais de toutes mes forces de me dire que cette histoire ne me regardait pas, mais la lâcheté de Rosendo et le courage insupportable de l'étranger ne voulaient pas me laisser en paix. Le grand type avait même réussi à se procurer une femme pour cette nuit-là. Pour celle-là et pour beaucoup, j'ai pensé, et peut-être pour toutes, car la Lujanera, c'était quelque chose. Dieu sait de quel côté ils s'étaient tirés. Ils ne devaient pas être très loin. Peut-être qu'ils étaient déjà au boulot tous les deux, dans n'importe quel fossé.

Quand j'ai réussi à rentrer, le guinche continuait comme s'il était rien arrivé.

Je me suis fait tout petit, je me suis faufilé dans le tas et j'ai vu que certains des nôtres avaient pris la tangente et que les gars du Nord tanguaient avec les autres.

---

7. **guapo** : argent., *courageux, dur, bagarreur ;* en castillan : *beau.*
8. **loquiar** pour **loquear** : *dire* ou *faire des folies.*
9. **bochinchar** : déformation de **bochinchear**, à partir de **bochinche** : *raffut, tapage,* dans le langage familier.
10. **al ñudo** : argent., *en vain ;* vulgarisme formé à partir de **nudo**, *nœud.*
11. **forcejiaba** : pour **forcejear** (*esforzarse, afanarse*).
12. **cualesquier cuneta** : cet emploi de **cualquiera** est bien entendu incorrect et appartient à la langue parlée ; **cualesquier** (pluriel apocopé) précède ici un mot féminin singulier.
13. **bailongo :** argent. familier et un peu méprisant, de **baile**, *bal.*
14. **rajarse :** lunfardo, *s'éclipser.*

Codazos y encontrones no había, pero sí recelo y decencia. La música parecía dormilona, las mujeres que tangueaban[1] con los del Norte no decían esta boca es mía[2].

Yo esperaba algo, pero no lo que sucedió.

Ajuera[3] oímos una mujer que lloraba y después la voz que ya conocíamos, pero serena, casi demasiado serena, como si ya no juera de alguin[4], diciéndole :

— Entrá[5], m'hija[6] — y luego otro llanto. Luego la voz como si empezara a desesperarse.

— ¡ Abrí[7] te digo, abrí guacha[8] arrastrada abrí, perra[9] ! — Se abrió en eso la puerta tembleque, y entró la Lujanera, sola. Entró mandada, como si viniera arreándola alguno.

— La está mandando un ánima — dijo el Inglés.

— Un muerto, amigo — dijo entonces el Corralero. El rostro era como de borracho. Entró, y en la cancha que le abrimos todos, como antes, dio unos pasos mareados — alto, sin ver — y se fue al suelo de una vez, como poste. Uno de los que vinieron con él lo acostó de espaldas y le acomodó el ponchito de almohada[10]. Esos ausilios[11] lo ensuciaron de sangre. Vimos entonces que traiba una herida fuerte en el pecho ; la sangre le encharcaba y ennegrecía un lengue[12] punzó[13] que antes no le oservé[14], porque lo tapó la chalina. Para la primer cura, una de las mujeres trujo caña y unos trapos quemados. El hombre no estaba para[15] esplicar[16].

---

1. **tanguear :** de tango, *danser le tango.*
2. **no decían esta boca es mía :** expression familière ; m. à m. *ne disaient pas cette bouche est à moi.*
3. **ajuera :** pour **afuera** ; cf. note 9, p. 172.
4. **alguin :** déformation de **alguien,** *quelqu'un.*
5. **entrá :** cette accentuation irrégulière est typiquement argentine.
6. **m'hija :** contraction familière de **mi hija.**
7. **abrí :** argent. pour **abre.**
8. **guacha :** argent., du quechua **uájcha** *orphelin,* d'où cette valeur de *bâtarde, garce.*
9. **perra :** *chienne,* et *personne* ou *chose indigne* au figuré.

Il y avait pas de coups de coude et de bousculades, mais de la méfiance, et de la retenue. La musique semblait engourdie, les femmes qui dansaient avec les étrangers la bouclaient.

Moi, j'attendais quelque chose, mais pas ce qui est arrivé.

Dehors, on a entendu une femme qui pleurait et ensuite la voix qu'on connaissait déjà, mais sereine, presque trop sereine, comme si maintenant elle était plus à personne, et qui lui disait :

— Entre, chérie — et ensuite un autre sanglot. Puis la voix avec l'air de se décourager.

— Ouvre, que j'te dis, ouvre, garce, traînée, ouvre, salope ! Sur ce, la porte a trembloté avant de s'ouvrir et la Lujanera est entrée toute seule. Elle est entrée projetée en avant comme si quelqu'un la poussait.

— Elle a un fantôme aux trousses, a dit l'Anglais.

— Un mort, l'ami, a dit alors le Corralero. Il avait un visage d'ivrogne. Il est entré, et dans l'espace qu'on lui a tous laissé, comme avant, il a fait quelques pas en titubant — grand, sans voir — et il est tombé par terre d'un bloc, comme un poteau. Un de ceux qui étaient venus avec lui l'a couché sur le dos et a arrangé son écharpe en guise d'oreiller. Après l'avoir aidé il avait des taches de sang. On a vu alors qu'il avait une grande blessure à la poitrine ; le sang l'inondait et noircissait un foulard rouge vif que je n'avais pas remarqué avant, caché qu'il était par l'écharpe. Une des femmes a apporté de la gnôle et des chiffons brûlants. L'homme n'était pas en état de fournir des explications.

---

10. **de almohada :** notez cette valeur de la préposition **de,** *en guise de,* que l'on retrouve dans la tournure **estar de** + nom, *être en qualité de.*

11. **ausilios :** pour auxilios, *secours.*

12. **lengue :** en lunfardo *le foulard* (pañuelo de cuello).

13. **punzó :** de *ponceau,* nom savant du *coquelicot* en français ; d'où ce sens : *rouge vif.*

14. **oservé :** pour observé.

15. **estar para :** *être disposé à, être en état de.*

16. **esplicar :** déformation de **explicar.**

La Lujanera lo miraba como perdida, con los brazos colgando. Todos estaban preguntándole con la cara y ella consiguió hablar al fin. Dijo que luego de salir con el Corralero, se jueron a un campito, y que en eso cae un desconocido y lo llama como desesperado a pelear y le infiere [1] esa puñalada y que ella jura que no sabe quién es y que no es Rosendo. ¿ Quién le iba a creer ?

El hombre a nuestros pies se moría. Yo pensé que no le había temblado el pulso al que lo arregló. El hombre, sin embargo, era duro. Cuando golpeó, la Julia había estao [2] cebando unos mates [3] y el mate dio la vuelta redonda y volvió a mi mano, antes que falleciera [4]. « Tápenme la cara », dijo despacio, cuando no pudo más. Sólo le quedaba el orgullo y no iba a consentir que le curiosearan [5] los visajes [6] de la agonía. Alguien le puso encima el chambergo negro, que era de copa altísima. Se murió abajo del chambergo, sin queja. Cuando el pecho acostado dejó de subir y bajar, se animaron a descubrirlo. Tenía ese aire fatigado de los difuntos ; era de los hombres de más coraje que hubo en aquel entonces, dende [7] la Batería hasta el Sur ; en cuanto lo supe [8] muerto y sin habla, le perdí el odio.

— Para morir no se precisa más que estar vivo — dijo una del montón [9], y otra, pensativa también :

— Tanta soberbia el hombre, y no sirve más que pa juntar [10] moscas.

---

1. **infiere :** du verbe **inferir**, *déduire* (une conséquence), *causer, provoquer* (une situation, une blessure...) ; conjugaison irrégulière sur le modèle de **sentir**.
2. **estao :** pour **estado** : chute du **d** intervocalique final dans la langue orale ; cf. note 5, p. 162.
3. **cebar el mate :** argent., *préparer le maté ;* le terme **mate** représente à la fois l'infusion d'herbes et le récipient utilisé pour la préparer et la servir. Ce **mate** fait le tour des présents et chacun en aspire une partie à l'aide d'une sorte de *pipette* (**bombilla**).
4. **antes que falleciera :** antes (de) que se construit toujours avec le subj. puisque cette conjonction introduit une subordonnée dont l'action est postérieure à celle de la principale.

La Lujanera le regardait l'air absent, les bras ballants. Tous l'interrogeaient du regard et elle a finalement réussi à parler. Elle a dit qu'après être sortie avec le Corralero ils étaient allés dans un petit champ, et qu'alors un inconnu leur tombe dessus et le défie comme un désespéré et lui enfonce ce coup de poignard et qu'elle jure ne pas savoir qui c'est et que c'est pas Rosendo. Comme si on avait pu la croire !

L'homme crevait à nos pieds. J'ai pensé que la main de celui qui l'avait arrangé comme ça avait pas tremblé. Pourtant, c'était un dur. Quand il était tombé, la Julia préparait du maté et le maté a fait un tour complet et m'est revenu dans les mains avant qu'il rende l'âme. « Cachez-moi la figure », il a dit tout bas, quand il en a eu assez. Il lui restait que sa fierté et il allait pas accepter qu'on reluque ses grimaces d'agonie. Quelqu'un lui a posé dessus son feutre noir, avec une calotte très haute. Il est mort sous son feutre, sans une plainte. Quand sa poitrine couchée a arrêté de monter et de descendre, ils se sont décidés à le découvrir. Il avait cet air fatigué des défunts ; c'était un des hommes les plus courageux qu'il y a eus à cette époque, depuis la Batería jusqu'au Sud ; dès que je l'ai vu mort et muet, ma haine a disparu.

— Pour mourir, il suffit juste d'être vivant, a dit une dans le tas, et une autre, songeuse elle aussi :

— Tellement d'orgueil chez l'homme, et il sert qu'à attirer les mouches.

5. **curiosear** : familièrement, *épier, fourrer son nez dans les affaires d'autrui.*
6. **visajes** : faux ami, *expression, grimace* (**ademán, gesto**), et non pas *visage* (**cara, rostro**).
7. **dende** : pour desde.
8. **en cuanto lo supe** : *dès que... ;* en cuanto admet des formes simples du verbe, de préférence aux formes composées.
9. **del montón** : *quelconque ;* **un español del montón** : *monsieur tout-le-monde.*
10. **juntar** : *joindre, rassembler,* **juntarse con alguien** : *retrouver quelqu'un ;* **juntarse con una mujer** : *avoir une liaison avec une femme.*

Entonces los norteros jueron[1] diciéndose una cosa despacio y dos a un tiempo la repitieron juerte[2] después :

— Lo mató la mujer.

Uno le gritó en la cara si era ella, y todos la cercaron. Ya me olvidé que tenía que prudenciar[3] y me les atravesé como luz. De atolondrado, casi pelo[4] el fiyingo[5]. Sentí que muchos me miraban, para no decir todos. Dije como con sorna[6] :

— Fijensén en las manos de esa mujer. ¿ Qué pulso ni qué corazón[7] va a tener para clavar una puñalada ?

Añadí, medio desganado de guapo :

— ¿ Quién iba a soñar que el finao[8], que asegún[9] dicen, era malo en su barrio, juera a concluir de una manera tan bruta y en un lugar tan enteramente muerto como éste, ande[10] no pasa nada, cuando no cae alguno de ajuera para distraírnos[11] y queda para la escupida[12] después ?

El cuero[13] no le pidió biaba[14] a ninguno.

En eso iba creciendo en la soledá un ruido de jinetes. Era la policía. Quien más, quien menos, todos tendrían[15] su razón para no buscar ese trato, porque determinaron que lo mejor era traspasar el muerto al arroyo. Recordarán ustedes aquella ventana alargada por la que pasó en un brillo el puñal. Por ahí pasó después el hombre de negro.

---

1. **jueron :** pour **fueron,** passé simple de **ir** qui sert ici de semi-auxiliaire avec un gérondif.
2. **juerte :** déformation de **fuerte.**
3. **prudenciar :** amér., la forme pronominale (**prudenciarse :** *se réprimer, se modérer*) étant beaucoup plus fréquente.
4. **pelar :** argent., *sortir, tirer,* dans la langue populaire.
5. **fiyingo :** argent. populaire, *petit couteau.*
6. **sorna :** *goguenardise.*
7. **corazón :** *cœur,* au sens figuré de *courage ;* **hacer de tripas corazón :** *prendre son courage à deux mains.*
8. **finao :** pour **finado,** du verbe **finar,** *décéder.*
9. **asegún** (ou **asigún**) : déformation de **según,** courant dans le Río de la Plata (environs de Buenos Aires et Uruguay).

Alors, ceux du Nord ont commencé à murmurer une chose doucement et il y en a deux qui l'ont répétée fort en même temps :

— La femme l'a tué.

Un lui a gueulé au visage si c'était elle, et ils l'ont tous entourée. J'avais déjà oublié que je devais faire gaffe et j'ai franchi le cercle comme un éclair. J'ai failli tirer mon canif tellement j'étais étourdi. J'ai senti que beaucoup me regardaient, pour pas dire tous. J'ai lâché comme en rigolant :

— Regardez les mains de cette femme. Et elle aurait assez de force et assez de tripes pour planter un coup de poignard ?

J'ai ajouté, un peu dégoûté, l'air d'un dur :

— Qui aurait pu imaginer que le défunt, d'après ce qu'on dit un méchant dans son quartier, allait finir d'une façon aussi idiote, et dans un endroit aussi complètement mort que celui-ci, où il arrive jamais rien, sauf quand il en vient un du dehors pour nous distraire et qu'ensuite il sert de crachoir ?

Personne a été assez chatouilleux pour chercher la bagarre.

Sur ce, un bruit de sabots a grossi dans la solitude. C'était la police. Certains plus que d'autres, tous devaient avoir de bonnes raisons pour éviter ce genre de fréquentations, car on a décidé de transférer le mort dans la rivière. Vous vous souvenez sans doute de cette fenêtre étroite traversée par l'éclair d'un poignard. Eh bien, c'est également par là qu'est passé l'homme en noir.

---

10. **ande** : pour **donde**.
11. **distrairnos** : déformation de **distraer**.
12. **escupida** : amér., *crachat* (**salivazo** en Espagne).
13. **cuero** : *la peau* de l'animal, et par extension celle de l'homme ; **estar en cueros** : *être tout nu.*
14. **biaba** : en lunfardo *bagarre ;* **el cuero no le pidió biaba a ninguno** : m. à m. *sa peau* (c'est-à-dire sa sensibilité), *ne demanda à personne de se battre.*
15. **tendrían** : conditionnel de conjecture dans une phrase au passé ; équivalent du futur dans une phrase au présent.

Lo levantaron entre muchos y de cuanto centavo y cuanta[1] zoncera[2] tenía, lo alijeraron esas manos y alguno le hachó[3] un dedo para refalarle[4] el anillo. Aprovechadores, señor, que así se le animaban a un pobre dijunto indefenso, después que lo arregló[5] otro más hombre. Un envión y el agua torrentosa y sufrida[6] se lo llevó. Para que no sobrenadara, no sé si le arrancaron las vísceras, porque preferí no mirar. El de bigote gris no me quitaba los ojos. La Lujanera aprovechó el apuro[7] para salir.

Cuando echaron su vistazo los de la ley, el baile estaba medio animado. El ciego del violín le sabía sacar unas habaneras[8] de las que ya no se oyen. Ajuera estaba queriendo clariar[9]. Unos postes de ñandubay[10] sobre una lomada estaban como sueltos, porque los alambrados finitos no se dejaban divisar[11] tan temprano.

Yo me fui tranquilo a mi rancho, que estaba a unas tres cuadras[12]. Ardía en la ventana una lucesita[13], que se apagó en seguida. De juro[14] que me apuré a llegar, cuando me di cuenta. Entonces, Borges, volví a sacar el cuchillo corto y filoso que yo sabía cargar aquí, en el chaleco, junto al sobaco izquierdo, y le pegué otra revisada despacio, y estaba como nuevo, inocente, y no quedaba ni un rastrito de sangre[15].

---

1. **cuanto... cuanta** : l'indéfini **cuanto** est ici employé comme adjectif et remplace **todo el** ; à ne pas confondre avec la valeur de **cuánto**, dans des phrases exclamatives ou interrogatives : *combien*.
2. **zoncera** : argent., *chose* ou *attitude sans importance*.
3. **hachar** ou **hachear** : *dégrossir à coups de hache*.
4. **refalar** : en lunfardo, *voler sans que la victime s'en rende compte*.
5. **arreglar** : *corriger, châtier* dans le langage populaire ; *castrer*, en Amérique ; sens premier : *arranger, régler*.
6. **sufrido**, synonyme de **paciente, resignado**, ne s'applique en principe qu'aux personnes.
7. **apuro** : amér., *hâte* ; en castillan : *embarras, difficulté* ; **tener apuros de dinero** : *avoir des problèmes d'argent*.
8. **habanera** : danse originaire de La Havane.
9. **clariar** : pour **clarear**, *éclairer, éclaircir*.

Ils l'ont levé à plusieurs, et ces mêmes mains l'ont soulagé de toutes les monnaies et de toutes les babioles qu'il avait, et il y en a un qui lui a tranché le doigt pour lui faucher son alliance. Des profiteurs, monsieur, et c'est comme ça qu'ils s'enhardissaient contre un pauvre défunt sans défense, après qu'un autre, plus homme qu'eux, lui avait fait la peau. Une poussée, et l'eau tumultueuse et complaisante l'a emporté. Je sais pas si on lui a arraché les viscères pour qu'il surnage pas, parce que j'ai préféré pas regarder. Celui à la moustache grise me quittait pas des yeux. La Lujanera a profité de l'agitation pour partir.

Lorsque les représentants de la loi ont jeté leur coup d'œil, le bal était plus ou moins animé. Le violoniste aveugle avait l'habitude de jouer des habaneras comme on en entend plus. Dehors, il essayait de faire jour. Sur un coteau, des piquets en bois semblaient posés tout seuls, car si tôt les minces fils de fer restaient invisibles.

Moi, je suis retourné paisiblement vers ma cabane, à quelques centaines de mètres. Une petite lumière brûlait à la fenêtre et elle s'est tout de suite éteinte. Sûr que j'me suis dépêché d'arriver quand je m'en suis rendu compte. Alors, Borges, j'ai ressorti le couteau court et tranchant que j'ai l'habitude de ranger ici, dans le gilet, sous le bras gauche, et je l'ai encore inspecté lentement, et il était comme neuf, innocent, et il restait pas la moindre petite trace de sang.

---

10. **ñandubay :** arbre américain, au bois dur et rougeâtre.
11. **divisar :** faux ami, *apercevoir* (et non pas *diviser :* dividir, partir, separar).
12. **cuadra :** amér., *pâté de maisons* (**manzana** en Espagne) et aussi longueur d'un pâté de maisons, c'est-à-dire une centaine de mètres.
13. **lucesita :** pour **lucecita**, diminutif de **luz** *(lumière)*.
14. **de juro :** *certainement ;* expression très peu employée, formée à partir du terme juridique **juro :** *droit perpétuel de propriété.*
15. Borges regrettera par la suite d'avoir ainsi vendu la mèche, et de ne pas s'en être tenu aux quelques allusions précédentes.

Révisions

Vous avez rencontré dans cette histoire l'équivalent des expressions françaises suivantes.
Vous en souvenez-vous ?

1. Il vous manque l'expérience nécessaire pour reconnaître ce nom.
2. La nuit était tellement fraîche que c'en était une bénédiction.
3. Il y a des années où je ne pense même pas à elle.
4. Je me jetais sur lui par pure étourderie.
5. Il continua à avancer comme si de rien n'était.
6. Il dit ces choses sans le quitter des yeux.
7. Mais qu'arrivait-il donc pendant ce temps à Rosendo ?
8. Je crois que tu dois en avoir besoin.
9. Laisse-le celui-là, il nous a fait le prendre pour un homme.
10. J'aurais voulu être tout de suite au lendemain.
11. Plus le quartier était misérable, plus il fallait être fort.
12. Dès que je l'ai su mort, ma haine envers lui a disparu.
13. À des degrés divers, tous devaient avoir leurs raisons.

1. Le falta la debida experiencia para reconocer ese nombre.
2. La noche era una bendición de tan fresca.
3. Hay años en que ni pienso en ella.
4. De puro atolondrado me le fui encima.
5. Siguió como si tal cosa, adelante.
6. Dijo esas cosas y no le quitó los ojos de encima.
7. ¿Qué le pasaba mientras tanto a Rosendo ?
8. Creo que lo estarás precisando.
9. Déjalo a ése, que nos hizo creer que era un hombre.
10. Yo hubiera querido estar de una vez en el día siguiente.
11. Cuanto más miserable el barrio, más obligación de ser fuerte.
12. En cuanto lo supe muerto, le perdí el odio.
13. Quien más, quien menos, todos tendrían su razón.

ENREGISTREMENT SONORE

• Vous trouverez dans les pages suivantes le texte des extraits enregistrés sur la cassette accompagnant ce volume.

• Chaque extrait est suivi d'un certain nombre de questions, destinées à tester votre compréhension.

• Les réponses à ces questions apparaissent en bas de page.

→ **Vous tirerez le meilleur profit de cette dernière partie en utilisant la cassette de la façon suivante.**

1) *Essayez de répondre* aux questions sans vous référer au texte écrit.

2) *Vérifiez votre compréhension* de l'extrait et des questions de la cassette à l'aide du livre.

3) *Refaites* l'exercice jusqu'à ce que vous ne soyez plus tributaire du texte écrit.

HISTORIA UNIVERSAL DE LA INFAMIA

EL ESPANTOSO REDENTOR LAZARUS MORELL

Extrait n° 1, p. 24-26 :

LOS HOMBRES

A principios del siglo XIX (la fecha que nos interesa) las vastas plantaciones de algodón que había en las orillas eran trabajadas por negros, de sol a sol. Dormían en cabañas de madera, sobre el piso de tierra. Fuera de la relación madre-hijo, los parentescos eran convencionales y turbios. Nombres tenían, pero podían prescindir de apellidos. No sabían leer. Su enternecida voz de falsete canturreaba un inglés de lentas vocales. Trabajaban en filas, encorvados bajo el rebenque del capataz. Huían, y hombres de barba entera saltaban sobre hermosos caballos y los rastreaban fuertes perros de presa.

A un sedimento de esperanzas bestiales y miedos africanos habían agregado las palabras de la Escritura : su fe por consiguiente era la de Cristo. Cantaban hondos y en montón : *Go down Moses.* El Mississippi les servía de magnífica imagen del sórdido Jordán.

Los propietarios de esa tierra trabajadora y de esas negradas eran ociosos y ávidos caballeros de melena rumbosa, que habitaban en largos caserones que miraban al río — siempre con un pórtico pseudo griego de pino blanco. Un buen esclavo les costaba mil dólares y no duraba mucho. Algunos cometían la ingratitud de enfermarse y morir. Había que sacar de esos inseguros el mayor rendimiento. Por eso los tenían en los campos desde el primer sol hasta el último ; por eso requerían de las fincas una cosecha anual de algodón o tabaco o azúcar.

- **Questions**
1. ¿ *Trabajaban mucho los negros ?*
2. ¿ *Cuáles eran sus condiciones de vida ?*

3. ¿ Qué aspecto tenían los propietarios de las plantaciones ?
4. ¿ Cuál era la religión de los negros ?
5. ¿ Cómo eran las casas de los propietarios ?
6. ¿ Para qué tenían a los negros tanto tiempo en los campos ?
7. ¿ Qué forma de ingratitud podían tener los negros ?
8. ¿ Qué se solía cultivar en las fincas ?

• Corrigé

1. Sí, trabajaban sin parar de la mañana a la noche.
2. Malas : Trabajaban bajo el látigo del capataz ; dormían en cabañas de madera y no tenían cama.
3. Solían llevar barbas y el pelo muy largo.
4. Los negros mezclaban supersticiones africanas con el cristianismo.
5. Eran casas muy grandes, con pórticos, que daban al río.
6. Para que fueran rentables, porque costaban mil dólares y duraban poco.
7. Caer enfermo y morir. El autor ironiza, claro está.
8. Algodón, tabaco o azucar.

Extrait n° 2, p. 36-38 :

LA CATÁSTROFE

Servido por hombres de confianza, el negocio tenía que prosperar. A principios de 1834 unos setenta negros habían sido « emancipados » ya por Morell, y otros se disponían a seguir a esos precursores dichosos. La zona de operaciones era mayor y era necesario admitir nuevos afiliados. Entre los que prestaron el juramento había un muchacho, Virgil Stewart, de Arkansas, que se destacó muy pronto por su crueldad. Este muchacho era sobrino de un caballero que había perdido muchos esclavos. En agosto de 1834 rompió su juramento y delató a Morell y a los otros. La casa de Morell en Nueva Orleans fue cercada por la justicia. Morell, por una imprevisión o un soborno, pudo escapar.

Tres días pasaron. Morell estuvo escondido ese tiempo en una casa antigua, de patios con enredaderas y estatuas, de la calle Toulouse. Parece que se alimentaba muy poco y que solía recorrer descalzo las grandes habitaciones oscuras, fumando pensativos cigarros. Por un esclavo de la casa remitió dos cartas a la ciudad de Natchez y otra a Red River. El cuarto día entraron en la casa tres hombres y se quedaron discutiendo con él hasta el amanecer. El quinto, Morell se levantó cuando oscurecía y pidió una navaja y se rasuró cuidadosamente la barba. Se vistió y salió. Atravesó con lenta serenidad los suburbios del Norte. Ya en pleno campo, orillando las tierras bajas del Mississippi, caminó más ligero.

• Questions

1. ¿ Por qué tenía que prosperar el negocio ?
2. ¿ Qué rasgo de carácter tenía Virgil Stewart ?
3. ¿ Por qué se necesitaban nuevos afiliados ?
4. ¿ Por qué fue cercada la casa de Morell ?
5. ¿ Cuánto tiempo estuvo escondido Morell ?
6. ¿ Qué hizo durante este período ?
7. Cuando salió por fin, ¿ qué momento del día eligió ?
8. ¿ Hacia dónde se fue ?

• Corrigé

1. Porque lo servían hombres de confianza.
2. Era un hombre muy cruel.
3. Porque la zona de operaciones se había ampliado.
4. Porque lo delató Virgil Stewart a la policía.
5. Cuatro días en total : tres solo y el cuarto recibiendo a tres individuos.
6. Comía poco, recorría las habitaciones y fumaba puros.
7. Eligió el anochecer.
8. Se fue hacia el Norte, a orillas del Mississippi.

Extrait n° 1, p. 50 :

EL IDOLATRADO HOMBRE MUERTO

En las postrimerías de abril de 1854 (mientras Orton provocaba las efusiones de la hospitalidad chilena, amplia como sus patios) naufragó en aguas del Atlántico el vapor *Mermaid,* procedente de Río de Janeiro, con rumbo a Liverpool. Entre los que perecieron estaba Roger Charles Tichborne, militar inglés criado en Francia, mayorazgo de una de las principales familias católicas de Inglaterra. Parece inverosímil, pero la muerte de ese joven afrancesado, que hablaba inglés con el más fino acento de París y despertaba ese incomparable rencor que sólo causan la inteligencia, la gracia y la pedantería francesas, fue un acontecimiento trascendental en el destino de Orton, que jamás lo había visto. Lady Tichborne, horrorizada madre de Roger, rehusó creer en su muerte y publicó desconsolados avisos en los periódicos de más amplia circulación. Uno de esos avisos cayó en las blandas manos funerarias del negro Bogle, que concibió un proyecto genial.

• Questions

1. ¿ Qué pasó a fines de abril de 1854 ?
2. ¿ Adónde iba el vapor Mermaid ?
3. ¿ Quién era Roger Charles Tichborne ?
4. ¿ Por qué hablaba inglés con acento francés ?
5. ¿ Cuál fue la reacción de Lady Tichborne cuando se enteró de la muerte de su hijo ?
6. ¿ De dónde sacó la inspiración Bogle para concebir su proyecto ?

• Corrigé

1. El vapor *Mermaid* naufragó en el Atlántico.
2. El *Mermaid* iba a Inglaterra.
3. El hijo mayor de una familia inglesa y católica.

4. Porque se había criado en Francia.
5. Se negó a creer en ella.
6. De uno de los innumerables avisos publicados por Lady Tichborne.

Extrait n° 2, p. 60 :

EL CARRUAJE

Ciento noventa días duró el proceso. Alrededor de cien testigos prestaron fe de que el acusado era Tichborne — entre ellos, cuatro compañeros de armas del regimiento seis de dragones. Sus partidarios no cesaban de repetir que no era un impostor, ya que de haberlo sido hubiera procurado remedar los retratos juveniles de su modelo. Además, Lady Tichborne lo había reconocido y es evidente que una madre no se equivoca. Todo iba bien, o más o menos bien, hasta que una antigua querida de Orton compareció ante el tribunal para declarar. Bogle no se inmutó con esa pérfida maniobra de los « parientes » ; requirió galera y paraguas y fue a implorar una tercera iluminación por las decorosas calles de Londres. No sabremos nunca si la encontró. Poco antes de llegar a Primrose Hill lo alcanzó el terrible vehículo que desde el fondo de los años lo perseguía. Bogle lo vio venir, lanzó un grito, pero no atinó con la salvación. Fue proyectado con violencia contra las piedras. Los mareadores cascos del jamelgo le partieron el cráneo.

- **Questions**

1. ¿ Fue largo el proceso ?
2. De ser culpable, ¿ qué hubiera hecho el acusado ?
3. ¿ Cuál era el mejor argumento del falso Tichborne ?
4. ¿ Las cosas salieron bien del todo para el acusado ?
5. ¿ Qué hizo entonces Bogle ?
6. ¿ Cómo murió Bogle ?

LA VIUDA CHING, PIRATA

Extrait, p. 68-70 :

LOS AÑOS DE APRENDIZAJE

Hacia 1797, los accionistas de las muchas escuadras piráticas de ese mar fundaron un consorcio y nombraron almirante a un tal Ching, hombre justiciero y probado. Éste fue tan severo y ejemplar en el saqueo de las costas que los habitantes despavoridos imploraron con dádivas y lágrimas el socorro imperial. Su lastimosa petición no fue desoída : recibieron la orden de poner fuego a sus aldeas, de olvidar sus quehaceres de pesquería, de emigrar tierra adentro y aprender una ciencia desconocida llamada agricultura. Así lo hicieron, y los frustrados invasores no hallaron sino costas desiertas. Tuvieron que entregarse, por consiguiente, al asalto de naves : depredación aún más nociva que la anterior, pues molestaba seriamente al comercio. El gobierno imperial no vaciló y ordenó a los antiguos pescadores el abandono del arado y la yunta y la restauración de remos y redes. Éstos se amotinaron, fieles al antiguo temor, y las autoridades resolvieron otra conducta : nombrar al almirante Ching, jefe de los Establos Imperiales. Éste iba a aceptar el soborno. Los accionistas lo supieron a tiempo, y su virtuosa indignación se manifestó en un plato de orugas envenenadas, cocidas con arroz. La golosina fue fatal : el antiguo almirante y jefe novel de los Establos Imperiales entregó su alma a las divinidades del mar.

• **Questions**

1. ¿ Por qué imploraron el socorro imperial los habitantes de las costas ?
2. ¿ Qué les contestó el emperador ?
3. ¿ Por qué los invasores no encontraron sino costas desiertas ?
4. ¿ Era peor el asalto de las naves que el pillaje de las costas ?
5. ¿ Fueron siempre dóciles los súbditos del emperador ?
6. ¿ Qué decisión adoptó finalmente el gobierno imperial ?
7. ¿ Se mostró conforme con esta decisión el almirante Ching ?
8. ¿ Cómo manifestaron su indignación los accionistas de las escuadras piráticas ?

• **Corrigé**

1. Porque los piratas saqueaban las costas.
2. Que se marcharan tierra adentro y se dedicaran a la agricultura.
3. Porque los pescadores obedecieron las órdenes del emperador.
4. Sí, porque impedía las actividades comerciales.
5. No, ya que se amotinaron contra su autoridad.
6. Nombrar al almirante Ching jefe de los Establos Imperiales.
7. Sí, puesto que estaba por aceptar la oferta.
8. Mataron a Ching, con un plato de orugas envenenadas.

EL PROVEEDOR DE INIQUIDADES
MONK EASTMAN

Extrait n° 1, p. 94-96 :

EL MANDO

Desde 1899 Eastman no era sólo famoso. Era caudillo electoral de una zona importante, y cobraba fuertes subsidios de las casas de farol colorado, de los garitos, de las pindongas callejeras y los ladrones de ese sórdido feudo. Los comités lo consultaban para organizar fechorías y los particulares también. He aquí sus honorarios : 15 dólares una oreja arrancada, 19 una pierna rota, 25 un balazo en una pierna, 25 una puñalada, 100 el negocio entero. A veces, para no perder la costumbre, Eastman ejecutaba personalmente una comisión.

Una cuestión de límites (sutil y malhumorada como las otras que posterga el derecho internacional) lo puso enfrente de Paul Kelly, famoso capitán de otra banda. Balazos y entreveros de las patrullas habían determinado un confín. Eastman lo atravesó un amanecer y lo acometieron cinco hombres. Con esos brazos vertiginosos de mono y con la cachiporra hizo rodar a tres, pero le metieron dos balas en el abdomen y lo abandonaron por muerto. Eastman se sujetó la herida caliente con el pulgar y el índice y caminó con pasos de borracho hasta el hospital. La vida, la alta fiebre y la muerte se lo disputaron varias semanas, pero sus labios no se rebajaron a delatar a nadie. Cuando salió, la guerra era un hecho y floreció en continuos tiroteos hasta el diecinueve de agosto del novecientos tres.

- ● Questions

1. ¿ Cuál era la principal actividad de Monk Eastman ?
2. ¿ Era rico ?
3. ¿ Por qué intervenía a veces personalmente Eastman ?
4. ¿ Qué problema le puso en frente de Paul Kelly ?
5. ¿ Qué arma utilizó Eastman cuando lo atacaron cinco hombres ?
6. ¿ Cómo terminó la riña ?
7. ¿ Por qué no denunció a nadie Monk Eastman ?
8. ¿ Cuál fue el resultado de esta agresión ?

- ● Corrigé

1. Era responsable electoral de una amplia zona.
2. Sí, ya que cobraba fuertes subsidios de mucha gente.
3. Para no perder la mano.

4. Un problema de límites de sus respectivos territo-
rios.
5. Disponía solamente de un garrote.
6. Sus agresores le metieron dos balas en el vientre.
7. Porque esto iba en contra de su sentido del honor.
8. Una guerra abierta y continuos tiroteos entre las
dos bandas de Eastman y Paul Kelly.

Extrait n° 2, p. 100 :

LOS CRUJIDOS

Los políticos parroquiales, a cuyo servicio estaba
Monk Eastman, siempre desmintieron públicamente
que hubiera tales bandas, o aclararon que se trataba
de meras sociedades recreativas. La indiscreta batalla
de Rivington los alarmó. Citaron a los dos capitanes
para intimarles la necesidad de una tregua. Kelly
(buen sabedor de que los políticos eran más aptos
que todos los revólveres Colt para entorpecer la
acción policial) dijo acto continuo que sí ; Eastman
(con la soberbia de su gran cuerpo bruto) ansiaba
más detonaciones y más refriegas. Empezó por rehusar
y tuvieron que amenazarlo con la prisión. Al fin los
dos ilustres malevos conferenciaron en un bar, cada
uno con un cigarro de hoja en la boca, la diestra en
el revólver y su vigilante nube de pistoleros alrededor.
Arribaron a una decisión muy americana : confiar a
un match de box la disputa. Kelly era un boxeador
habilísimo. El duelo se realizó en un galpón y fue
estrafalario. Ciento cuarenta espectadores lo vieron,
entre compadres de galera torcida y mujeres de frágil
peinado monumental. Duró dos horas y terminó en
completa extenuación. A la semana chisporrotearon
los tiroteos. Monk fue arrestado, por enésima vez. Los
protectores se distrajeron de él con alivio ; el juez le
vaticinó, con toda verdad, diez años de cárcel.

• **Questions**

1. ¿ Para quién trabajaba Monk Eastman ?
2. ¿ Qué decidieron sus comanditarios ?

3. ¿ Tuvieron Kelly e Eastman la misma reacción inmediata ?
4. ¿ A qué decisión llegaron los dos bandidos ?
5. ¿ Quién salió ganando ?
6. ¿ Duró mucho tiempo la paz ?
7. ¿ Siguió protegido Eastman por sus comanditarios ?
8. ¿ Cuál fue la sentencia del tribunal ?

• **Corrigé**

1. Para hombres políticos del barrio.
2. Citaron a los dos bandidos y les ordenaron una tregua.
3. No. Kelly aceptó en el acto pero Eastman empezó por negarse.
4. Confiar la disputa a un match de boxeo.
5. Ninguno de los dos. Los dos terminaron completamente extenuados.
6. No, muy poco tiempo, una semana apenas.
7. No, éstos lo abandonaron con alivio.
8. Eastman fue condenado a diez años de carcel.

EL ASESINO DESINTERESADO
BILL HARRIGAN

Extrait nº 1, p. 106-108 :

EL ESTADO LARVAL

Hacia 1859 el hombre que para el terror y la gloria sería Billy the Kid nació en un conventillo subterráneo de Nueva York. Dicen que lo parió un fatigado vientre irlandés, pero se crió entre negros. En ese caos de catinga y de motas gozó el primado que conceden las pecas y una crencha rojiza. Practicaba el orgullo de ser blanco ; también era esmirriado, chúcaro, soez. A los doce años militó en la pandilla de los *Swamp Angels* (Ángeles de la Ciénaga), divinidades que operaban entre las cloacas. En las noches con olor a niebla quemada emergían de aquel fétido laberinto, seguían el rumbo de algún marinero alemán, lo desmoronaban de un cascotazo, lo despojaban hasta de la ropa interior, y se restituían después a la otra basura. Los comandaba un negro encanecido, Gas Houser Jonas, también famoso como envenenador de caballos.

A veces, de la buhardilla de alguna casa jorobada cerca del agua, una mujer volcaba sobre la cabeza de un transeúnte un balde de ceniza. El hombre se agitaba y se ahogaba. En seguida los Ángeles de la Ciénaga pululaban sobre él, lo arrebataban por la boca de un sótano y lo saqueaban.

Tales fueron los años de aprendizaje de Billy Harrigan, el futuro Billy the Kid. No desdeñaba las ficciones teatrales ; le gustaba asistir (acaso sin ningún presentimiento de que eran símbolos y letras de su destino) a los melodramas de cowboys.

• Questions

1. ¿ Cuál era el origen de Billy the Kid ?
2. ¿ Dónde nació Billy the Kid ?
3. ¿ Cómo era, desde el punto de vista físico ?
4. ¿ De qué se sentía orgulloso ?
5. ¿ Qué arma utilizaban los Ángeles de la Ciénaga para agredir a los marineros ?
6. ¿ Quién era el jefe de la pandilla ?
7. ¿ Para qué les servía la ceniza ?
8. ¿ Qué espectáculo le gustaba entonces a Billy the Kid ?

• Corrigé

1. Su madre, parece ser, era irlandesa.
2. Nació en Nueva York, en un cuchitril subterráneo.
3. Era pelirrojo y con pecas en la cara.
4. Se sentía orgulloso porque al vivir entre los negros era blanco.
5. Usaban un cascote para acogotarlos.
6. El jefe era un negro de pelo blanco y también muy conocido como envenenador de caballos.
7. Tiraban un balde de ceniza sobre la cabeza de los transeúntes para que se ahogaran.
8. Le gustaba el teatro y en particular los melodramas de vaqueros.

Extrait n° 2, p. 114-116 :

MUERTES PORQUE SÍ

De esa feliz detonación (a los catorce años de edad)
nació Billy the Kid el Héroe y murió el furtivo Bill
Harrigan. El muchachuelo de la cloaca y del cascotazo
ascendió a hombre de frontera. Se hizo jinete ;
aprendió a estribar derecho sobre el caballo a la
manera de Wyoming o Texas, no con el cuerpo
echado hacia atrás, a la manera de Oregón y de
California. Nunca se pareció del todo a su leyenda,
pero se fue acercando. Algo del compadrito de New
York perduró en el *cowboy* ; puso en los mejicanos
el odio que antes le inspiraban los negros, pero las
últimas palabras que dijo fueron (malas) palabras en
español. Aprendió el arte vagabundo de los troperos.
Aprendió el otro, más difícil, de mandar hombres ;
ambos lo ayudaron a ser un buen ladrón de hacienda.
A veces, las guitarras y los burdeles de Méjico lo
arrastraban.

Con la lucidez atroz del insomnio, organizaba
populosas orgías que duraban cuatro días y cuatro
noches. Al fin, asqueado, pagaba la cuenta a balazos.
Mientras el dedo del gatillo no le falló fue el hombre
más temido (y quizá más nadie y más solo) de esa
frontera. Garrett, su amigo, el sheriff que después lo
mató, le dijo una vez : « Yo he ejercitado mucho la
puntería matando búfalos. » « Yo la he ejercitado
más, matando hombres », replicó suavemente. Los
pormenores son irrecuperables, pero sabemos que
debió hasta veintiuna muertes — « sin contar mejicanos ». Durante siete arriesgadísimos años practicó ese
lujo : el coraje.

• **Questions**

1. ¿ En qué se convirtió Bill Harrigan a los catorce
   años ?
2. ¿ Cómo montaba a caballo ?
3. ¿ Amaba a los mejicanos ?
4. ¿ A qué actividad se dedicó ?
5. ¿ Para qué se iba a Méjico ?

6. ¿ Cómo pagaba la cuenta ?
7. ¿ Cómo solía ejercitar su puntería ?
8. ¿ Qué sabemos de sus crímenes ?

● **Corrigé**

1. Se convirtió en un hombre de frontera.
2. Iba muy derecho sobre los estribos.
3. No, los odiaba tanto como a los negros.
4. Se dedicó a robar en las haciendas.
5. Se iba a los burdeles y allí organizaba orgías.
6. La pagaba a balazos.
7. Disparando sobre los hombres.
8. Faltan los detalles, pero sabemos que mató a
   veintiuna personas « sin contar mejicanos ».

EL INCIVIL MAESTRO DE CEREMONIAS
KOTSUKÉ NO SUKÉ

Extrait, p. 130-132 :

LA CICATRIZ

Dos bandas atacaron el palacio de Kira Kotsuké no
Suké. El consejero comandó la primera, que atacó la
puerta del frente ; la segunda, su hijo mayor, que
estaba por cumplir dieciséis años y que murió esa
noche. La historia sabe los diversos momentos de
esa pesadilla tan lúcida : el descenso arriesgado y
pendular por las escaleras de cuerda, el tambor del
ataque, la precipitación de los defensores, los
arqueros apostados en la azotea, el directo destino
de las flechas hacia los órganos vitales del hombre,
las porcelanas infamadas de sangre, la muerte ardiente
que después es glacial, los impudores y desórdenes
de la muerte. Nueve capitanes murieron ; los
defensores no eran menos valientes y no se quisieron
rendir. Poco después de media noche toda resistencia
cesó.
Kira Kotsuké no Suké, razón ignominiosa de esas
lealtades, no aparecía. Lo buscaron por todos los
rincones de ese conmovido palacio y ya desesperaban
de encontrarlo cuando el consejero notó que las

sábanas de su lecho estaban aún tibias. Volvieron a buscar y descubrieron una estrecha ventana, disimulada por un espejo de bronce. Abajo, desde un patiecito sombrío, los miraba un hombre de blanco. Una espada temblorosa estaba en su diestra. Cuando bajaron, el hombre se entregó sin pelear. Le rayaba la frente una cicatriz : viejo dibujo del acero de Takumi no Kami.

Entonces, los sangrientos capitanes se arrojaron a los pies del aborrecido y le dijeron que eran los oficiales del señor de la Torre, de cuya perdición y cuyo fin él era culpable, y le rogaron que se suicidara, como un *samurai* debe hacerlo.

En vano propusieron ese decoro a su ánimo servil. Era varón inaccesible al honor ; a la madrugada tuvieron que degollarlo.

• Questions

1. ¿ Quién mandaba la segunda banda que atacó el palacio ?
2. ¿ Cómo penetraron en el palacio los asaltantes ?
3. ¿ Eran cobardes los defensores ?
4. ¿ Participó en el combate Kira Kotsuké no Suké ?
5. ¿ Cómo se dio cuenta de la presencia de Kira Kotsuké no Suké en el palacio el consejero ?
6. ¿ Cómo reconocieron a Kira Kotsuké no Suké los asaltantes ?
7. ¿ Qué debe hacer un samurai si tiene sentido del honor ?
8. ¿ Qué hicieron los capitanes cuando se encontraron frente a Kira Kotsuké no Suké ?

• Corrigé

1. El hijo mayor del consejero, que estaba por cumplir dieciséis años.
2. Utilizaron escaleras de cuerda.
3. No ; eran tan valientes como los asaltantes.
4. No ; se escondió desde el principio del combate.
5. Las sábanas de su cama estaban todavía tibias.
6. Por la cicatriz que llevaba en la frente.
7. Suicidarse, si las circunstancias lo exigen.
8. Le rogaron se suicidara y al final lo degollaron.

EL TINTORERO ENMASCARADO
HÁKIM DE MERV

Extrait n° 1, p. 154-156 :

EL ROSTRO

El año 163 de la Emigración y quinto de la Cara Resplandeciente, Hákim fue cercado en Sanam por el ejército del jalifa. Provisiones y mártires no faltaban, y se aguardaba el inminente socorro de una caterva de ángeles de luz. En eso estaban cuando un espantoso rumor atravesó el castillo. Se refería que una mujer adúltera del harem, al ser estrangulada por los eunucos, había gritado que a la mano derecha del profeta le faltaba el dedo anular y que carecían de uñas los otros. El rumor cundió entre los fieles. A pleno sol, en una elevada terraza, Hákim pedía una victoria o un signo a la divinidad familiar. Con la cabeza doblegada, servil — como si corrieran contra une lluvia —, dos capitanes le arrancaron el Velo recamado de piedras.

Primero, hubo un temblor. La prometida cara de Apóstol, la cara que había estado en los cielos, era en efecto blanca, pero con la blancura peculiar de la lepra manchada. Era tan abultada e increíble que les pareció una careta. No tenía cejas ; el párpado inferior del ojo derecho pendía sobre la mejilla senil ; un pesado racimo de tubérculos le comía los labios ; la nariz inhumana y achatada era como de león.

La voz de Hákim ensayó un engaño final. *Vuestro pecado abominable os prohibe percibir mi esplendor...* comenzó a decir.

No lo escucharon y lo atravesaron con lanzas.

• Questions

1. ¿ Cuál era la situación de Hákim desde el punto de vista militar ?
2. ¿ Estaba en condiciones de resistir el ejército de Hákim ?
3. ¿ Qué rumor atravesó el castillo ?
4. ¿ Mientras tanto, qué estaba haciendo Hákim ?

5. ¿ Qué hicieron los dos capitanes ?
6. ¿ Por qué se ocultaba la cara Hákim ?
7. ¿ Cuál fue la última tentativa de Hákim ?
8. ¿ Le hicieron caso los dos capitanes ?

● **Corrigé**

1. Lo cercaba el ejército del jalifa en Sanam.
2. Sí, ya que no faltaban ni provisiones, ni mártires.
3. Que le faltaban a Hákim un dedo y las uñas de los otros.
4. Estaba rezando desde lo alto de una terraza.
5. Se acercaron a Hákim y le arrancaron el velo.
6. Porque estaba enfermo de la lepra y no quería que la gente lo supiera.
7. Trató de engañar a los capitanes diciendo que cometían un pecado abominable.
8. No, en absoluto, y lo atravesaron de parte a parte con lanzas.

HOMBRE DE LA ESQUINA ROSADA

Extrait n° 1, p. 164 :

Parece cuento, pero la historia de esa noche rarísima empezó por un placero insolente de ruedas coloradas, lleno hasta el tope de hombres, que iba a los barquinazos por esos callejones de barro duro, entre los hornos de ladrillos y los huecos, y dos de negro, déle guitarriar y aturdir, y el del pescante que les tiraba un fustazo a los perros sueltos que se le atravesaban al morro, y un emponchado iba silencioso en el medio, y ése era el Corralero de tantas mentas, y el hombre iba a peliar y a matar. La noche era una bendición de tan fresca ; dos de ellos iban sobre la capota volcada, como si la soledá juera un corso. Ese jué el primer sucedido de tantos que hubo, pero recién después lo supimos. Los muchachos estábamos dende temprano en el salón de Julia, que era un galpón de chapas de cinc, entre el camino de Gauna y el Maldonado. Era un local que usté lo divisaba de lejos, por la luz que mandaba a la redonda el farol sinvergüenza, y por el barullo también. La Julia, aunque de humilde color, era de lo más consciente y formal, así que no faltaban musicantes, güen beberaje y compañeras resistentes pal baile. Pero la Lujanera, que era la mujer de Rosendo, las sobraba lejos a todas. Se murió, señor, y digo que hay años en que ni pienso en ella, pero había que verla en sus días, con esos ojos. Verla, no daba sueño.

• Questions

1. ¿ Cómo empezó la historia de esta noche ?
2. ¿ Iban silenciosos todos los hombres del placero ?
3. ¿ Cuáles eran las intenciones del Corralero ?
4. ¿ Llevaban mucho tiempo los muchachos en el salón de la Julia ?
5. ¿ Por qué se notaba desde lejos este salón ?
6. ¿ Cómo era la Julia ?
7. ¿ Estaba animado el salón ?
8. ¿ Quién era la más guapa de las mujeres aquí presentes ?

• Corrigé

1. Empezó por un placero lleno hasta el tope de hombres.
2. No, dos estaban tocando la guitarra.
3. El Corralero venía para pelear y matar.
4. Sí, habían llegado temprano.
5. Por un farol, y también por el barullo.
6. Una chica consciente y formal.
7. Sí, ya que no faltaban músicos, bebidas y mujeres.
8. La Lujanera, con sus ojos espléndidos.

Extrait n° 2, p. 170 :

El Corralero fue empujado hasta él, firme y ensangrentado, con ese viento de chamuchina pifiadora detrás. Silbado, chicoteado, escupido, recién habló cuando se enfrentó con Rosendo. Entonces lo miró y se despejó la cara con el antebrazo y dijo estas cosas :

— Yo soy Francisco Real, un hombre del Norte.
Yo soy Francisco Real, que le dicen el Corralero. Yo
les he consentido a estos infelices que me alzaran la
mano, porque lo que estoy buscando es un hombre.
Andan por ahí unos bolaceros diciendo que en estos
andurriales hay uno que tiene mentas de cuchillero y
de malo, y que le dicen el Pegador. Quiero
encontrarlo pa que me enseñe a mí, que soy naides,
lo que es hombre de coraje y de vista.

Dijo esas cosas y no le quitó los ojos de encima.
Ahora le relucía un cuchillón en la mano derecha,
que en fija lo había traído en la manga. Alrededor se
habían ido abriendo los que empujaron, y todos los
mirábamos a los dos, en un gran silencio.

• Questions

1. ¿ Cuándo habló el Corralero ?
2. ¿ Por qué se despejó la cara con el antebrazo ?
3. ¿ Por qué se dejó pegar por los otros ?
4. ¿ A quién buscaba el Corralero ?
5. ¿ Para qué lo estaba buscando ?
6. ¿ Qué sacó en aquel momento el Corralero ?

• Corrigé

1. Cuando estuvo en frente de Rosendo.
2. Porque la llevaba llena de escupidos.
3. Porque los despreciaba, no eran más que unos
   infelices.
4. Buscaba a Rosendo, que tenía fama de cuchillero
   y de malo.
5. Para que Rosendo le enseñara lo que era un
   hombre de coraje.
6. Un cuchillón, que le relucía en la mano derecha.

Extrait n° 3, p. 172-174 :

¿ Qué le pasaba mientras tanto a Rosendo, que no
lo sacaba pisotiando a ese balaquero ? Seguía callado,
sin alzarle los ojos. El cigarro no sé si lo escupió o si
se le cayó de la cara. Al fin pudo acertar con unas
palabras, pero tan despacio que a los de la otra punta

del salón no nos alcanzó lo que dijo. Volvió Francisco Real a desafiarlo y él a negarse. Entonces, el más muchacho de los forasteros silbó. La Lujanera lo miró aborreciéndolo y se abrió paso con la crencha en la espalda, entre el carreraje y las chinas, y se jué a su hombre y le sacó el cuchillo desenvainado y se lo dio con estas palabras :

— Rosendo, creo que lo estarás precisando.

A la altura del techo había una especie de ventana alargada que miraba al arroyo. Con las dos manos recibió Rosendo el cuchillo y lo filió como si no lo reconociera. Se empinó de golpe hacia atrás y voló el cuchillo derecho y fue a perderse ajuera, en el Maldonado. Yo sentí como un frío.

— De asco no te carneo — dijo el otro, y alzó, para castigarlo, la mano. Entonces la Lujanera se le prendió y le echó los brazos al cuello y lo miró con esos ojos y le dijo con ira :

— Dejalo a ése, que nos hizo creer que era un hombre.

Francisco Real se quedó perplejo un espacio y luego la abrazó como para siempre y les gritó a los musicantes que le metieran tango y milonga, y a los demás de la diversión, que bailáramos. La milonga corrió como un incendio de punta a punta. Real bailaba muy grave, pero sin ninguna luz, ya pudiéndola. Llegaron a la puerta y gritó :

— ¡ Vayan abriendo cancha, señores, que la llevo dormida !

Dijo, y salieron sien con sien, como en la marejada del tango, como si los perdiera el tango.

• **Questions**

1. ¿ Cuál fue la reacción de Rosendo cuando lo desafió Francisco Real ?
2. ¿ Por qué no lo oyeron los que no estaban cerca de él ?
3. ¿ Qué hizo entonces la Lujanera ?
4. ¿ Para qué le sirvió el cuchillo a Rosendo ?
5. ¿ Qué le reprochó la Lujanera a Rosendo ?
6. ¿ Qué les gritó a los músicos Francisco Real ?
7. ¿ Cómo se terminó la escena ?

- **Corrigé**

1. Siguió callado y cabizbajo.
2. Porque habló muy bajo.
3. Le entregó un cuchillo a Rosendo para que peleara.
4. Para nada, ya que Rosendo lo tiró afuera.
5. Que fuera incapaz de portarse como un hombre.
6. Que tocaran de nuevo tangos y milongas.
7. Francisco Real se llevó a la Lujanera y se marcharon sien contra sien.

Extrait n° 4, p. 180-182 :

El hombre a nuestros pies se moría. Yo pensé que no le había temblado el pulso al que lo arregló. El hombre, sin embargo, era duro. Cuando golpeó, la Julia había estao cebando unos mates y el mate dio la vuelta redonda y volvió a mi mano, antes que falleciera. « Tápenme la cara », dijo despacio, cuando no pudo más. Sólo le quedaba el orgullo y no iba a consentir que le curiosearan los visajes de la agonía. Alguien le puso encima el chambergo negro, que era de copa altísima. Se murió abajo del chambergo, sin queja. Cuando el pecho acostado dejó de subir y bajar, se animaron a descubrirlo. Tenía ese aire fatigado de los difuntos ; era de los hombres de más coraje que hubo en aquel entonces, dende la Batería hasta el Sur ; en cuanto lo supe muerto y sin habla, le perdí el odio.
— Para morir no se precisa más que estar vivo — dijo una del montón, y otra, pensativa también :
— Tanta soberbia el hombre, y no sirve más que pa juntar moscas.
Entonces los norteros jueron diciéndose una cosa despacio y dos a un tiempo la repitieron juerte despúes :
— Lo mató la mujer.

- **Questions**

1. ¿ Qué estaba haciendo la Julia cuando llamó a la puerta Francisco Real ?
2. ¿ Cuáles fueron las últimas palabras del hombre ?

3. ¿ Por qué dijo eso ?
4. ¿ Qué le pusieron sobre la cara ?
5. ¿ Por qué le perdió el odio el narrador ?
6. ¿ A quién acusaron los compañeros de Francisco Real ?

• Corrigé

1. Estaba cebando mates.
2. Pidió que le taparan la cara.
3. Por orgullo, no quería que lo vieran agonizar.
4. Le pusieron un sombrero negro sobre la cara.
5. Porque era uno de los hombres más valientes que había conocido.
6. Acusaron a la mujer, a la Lujanera.

IMPRIMÉ EN FRANCE PAR BRODARD ET TAUPIN
Usine de La Flèche (Sarthe), le 10-06-1988.
6471-5 - N° d'Éditeur 4017, juin 1988.

PRESSES POCKET - 8, rue Garancière - 75006 Paris
Tél. 46.34.12.80

SERIE BILINGUE

Cette série permet d'améliorer les connaissances en langue étrangère, et tout particulièrement en vocalubaire, par le contact avec des récits et nouvelles écrits dans une langue moderne et riche.

Elle assure aussi une meilleure compréhension de l'environnement culturel, des attitudes, des traditions et des comportements dans les pays concernés.

Les textes sont intégralement traduits et accompagnés de notes explicatives.

A la fin de chaque nouvelle, une récapitulation des formules utiles, ainsi que des exercices de compréhension, garantissent une acquisition en profondeur des connaissances.

Des extraits enregistrés sur cassettes (1 heure d'enregistrement) assurent une imprégnation auditive et la familiarisation avec différents accents.

Des séries de questions — suivies de « blancs » pour que l'utilisateur puisse répondre, et de corrigés préenregistrés — permettent de progresser en compréhension auditive et en expression orale.

SERIE
40 LEÇONS

Cette série a été conçue à l'intention des débutants (ou de ceux qui souhaitent se recycler).

Pour ce faire chaque ouvrage comporte :

- des unités simples permettant d'acquérir et de maîtriser les mécanismes de base.
- des remarques, qui, ajoutées aux traductions en français, apportent à chacun les réponses aux questions qu'il se pose.
- une explication claire et accessible à tous des difficultés de prononciation.
- de nombreux exemples choisis en fonction de leur fréquence d'usage.
- des exercices de contrôle qui, joints à la répétition systématique des points étudiés, assurent l'acquisition des structures et du vocabulaire de base.

Chaque méthode, dont la progression est adaptée à la spécificité de chaque langue, comprend 40 leçons de 6 pages chacune suivies d'un précis grammatical.

La maîtrise de l'expression et de la compréhension orales est facilitée par l'enregistrement sonore de chaque ouvrage.

CORRESPONDANCE GENERALE

Cette série s'adresse à celles et à ceux que le tourisme ou les voyages amènent à rédiger un courrier en langue étrangère ainsi qu'à toutes les personnes qui souhaitent communiquer par lettre avec des amis ou relations d'une autre nationalité.

Chaque ouvrage présente :
- les formes en usage dans le (ou les) pays concernés (disposition de la lettre, formule de politesse, etc.).
- les différents types de lettres ayant trait aux déplacements et aux séjours à l'étranger (demande de renseignements, réservation d'hôtel, confirmation, annulation, location de voiture, etc.).
- les nombreux exemples de correspondance privée permettant d'établir, de maintenir et de développer des contacts personnels (annonce d'un séjour, remerciements, événements familiaux, etc.).
- des modèles de curriculum vitae conformes aux pratiques nationales, et qui seraient utiles aux étudiants et professionnels à la recherche d'un stage ou d'un poste.

SERIE PRATIQUER

Les ouvrages de la série **PRATIQUER** répondent aux besoins de ceux qui, connaissant les bases d'une langue, cherchent à s'exprimer plus naturellement et à enrichir leur vocabulaire.

Conçus, comme tous les ouvrages de la collection LES LANGUES POUR TOUS, de façon à rendre possible l'apprentissage autonome, ils peuvent également être utilisés dans le cadre d'un enseignement de groupe (enseignement secondaire, formation continue). Ils s'adressent également aux voyageurs et aux touristes qui doivent faire face aux problèmes de communication au cours de leurs déplacements.

Ces ouvrages jouent donc un double rôle :

- Ils perfectionnent les connaissances linguistiques (vocabulaire, grammaire, prononciation).
- Ils présentent et analysent les variantes linguistiques (différence entre l'américain et l'anglais britannique, variantes spécifiques hispano-américaines, etc.).
- Ils introduisent à la connaissance de l'environnement (quotidien, culturel, touristique).

Dans une dernière partie (ANNEXES) les lecteurs trouvent des informations pratiques et socioculturelles, des index thématiques ou lexicaux.

SERIE SCORE 200 TESTS

S'adressant aux jeunes d'âge scolaire comme aux adultes, les ouvrages de la série **SCORE** sont des instruments d'évaluation, d'acquisition et d'amélioration des connaissances grammaticales.

SCORE vise à répondre à ces deux problèmes qui nuisent à l'efficacité de l'enseignement des langues :

1) l'absence d'homogénéité des connaissances dans les groupes.

2) le retard, de plus en plus difficile à combler, des plus faibles.

- Utilisé collectivement, **SCORE** permet de diagnostiquer rapidement le niveau moyen d'un groupe et de situer les ignorances individuelles.

- Utilisé individuellement par les élèves, **SCORE** facilitera leur remise à niveau; celle-ci s'opérera au rythme et en fonction des difficultés de chacun et de chacune.

La méthode **SCORE** comporte 3 parties : A, B, C, permettant :

Ⓐ. Une localisation des difficultés et la mesure des connaissances : 100 tests + corrigé.

Ⓑ. Un traitement des erreurs : par 100 fiches pratiques portant sur chacun des points testés en A (avec exercices + corrigé).

Ⓒ. Un contrôle des progrès par 100 nouveaux tests en fin de parcours (avec retour à la section B pour les points non encore maîtrisés).

Conçu pour l'apprentissage individualisé, **SCORE** facilite aux enseignants la mise à niveau d'un groupe non homogène.

Déjà parus : Anglais • Allemand • Espagnol • Italien • Portugais •

SÉRIE ÉCONOMIQUE ET COMMERCIALE

Les ouvrages de cette série sont conçus pour tous ceux qui souhaitent acquérir les connaissances nécessaires à la pratique de la langue des affaires.

Ils s'adressent donc aux élèves des écoles de gestion, aux étudiants des I.U.T. et des Facultés (L.E.A.), aux candidats des examens des Chambres de Commerce et enfin au public de la Formation continue.

- Toutes les activités économiques de l'entreprise en 20 dossiers : animation commerciale, vie financière, informatique, comptabilité, marketing, vie syndicale, etc.

- Une alternance de dialogues pris sur le vif, de textes explicatifs, de documents commentés et de modèles de lettres permet au lecteur d'acquérir une connaissance réaliste du monde des affaires.

- Pour répondre aux besoins de l'utilisateur individuel, comme à ceux de l'enseignement collectif, tous les textes présentés sont systématiquement traduits.

- Toutes les particularités de la langue économique font l'objet de notes explicatives.

- Des tests et des exercices de contrôle pour faire le point de ses connaissances.

Un complément sonore (une partie des dialogues et des phrases types) permet l'entraînement à la compréhension (3 K7).

CORRESPONDANCE COMMERCIALE

Cette série s'adresse à ceux qui doivent comprendre et rédiger des lettres commerciales en langue étrangère.

Chaque ouvrage comporte 20 dossiers de 10 pages, chacun traitant d'une opération particulière dans le cadre d'échanges commerciaux.

Chaque dossier se présente comme suit :

- une page de lettres en langue étrangère, avec, en regard, à droite, leur traduction en français,
- une page de notes et de commentaires grammaticaux et stylistiques,
- une page de phrases types, avec leur traduction en français, parmi lesquelles l'utilisateur pourra puiser de nombreuses expressions correspondant à des situations concrètes,
- une page de lettres en français avec, en regard, leur traduction suivie d'une page de notes explicatives,
- une page de vocabulaire récapitulatif,
- enfin, des exercices avec corrigés qui permettent de faire le point de l'acquisition des connaissances.

Chaque dossier est conçu pour permettre un travail individuel sans dictionnaire et pour donner à l'utilisateur la possibilité de rédiger lui-même un large éventail de lettres à partir des éléments présents.